JN312653

「20代」でやっておきたいこと

川北義則
Yoshinori Kawakita

三笠書房

はじめに

二十代――あらゆる可能性を信じ、後悔しない生き方を！

あなたには無限の可能性がある。やりたいことは何でもできる。二十代は少々の失敗やミスは、まだ許される年代である。

それなのに、先行き不安だからといって、二十代から将来の年金のためとお金を貯めている若者たちもいると聞く。

先行きなんて、いつでもわからない。先行きはわからないから面白いのではないか。予測ができる人生なんてつまらないだろう。

若いときは大いに働き、大いに遊べばいい。いまからお金を貯めたところで、この変化の激しい時代、五年先、十年先なんてどうなるかわからない。まして、二十代が年金を手にするのは何十年も先のことだ。それよりも、いまをもっと充実させよう。私の二十代はがむしゃらに働き、さんざん遊んだ。帰宅はいつも午前様だった。貯金なんて一円もなく、それどころか借金だらけだった。

そんな借金もいつの間にか返済でき、その若い頃にいろいろな人たちと知りあったおかげで、人脈も増え、それが後に大いに役に立った。

仕事も会社のためではなく、自分のために頑張った。若い頃は体力もあったから、それができたのだ。

いまやっておかなければならないことは、たくさんあるはずだ。「あのとき、ああすればよかった」と悔んでも、まさに「後悔先に立たず」である。

いま何かの仕事についているなら、その道を一生懸命進むことだ。まずは石の上にも三年、そして一人前になるには十年かかると思っておいたほうがいい。何もしないでいるのが、一番いけない。

いくら待っていても、自分のために世間が何かしてくれるわけではない。すべて自分で切り開いていかなくてはならないのだ。

何を始めるにしても、いまからなら十分間にあう。仕事をしながらでも「これでいいのか？」と迷うこともあるだろう。そんなとき、違う道があれば、そちらに挑戦してみるのもいいだろう。二十代ならできることだ。

またサラリーマンとして入社したのなら、まず社会人としての第一歩を学ぶことだ。大切なのは礼儀作法。挨拶がきちんとできない人間は、社会人としての第一歩が失格だ。

そして、まだ若いうちは大いに恥をかいてもいい。わからないことは知ったかぶりをせずに、何でも謙虚に教えてもらうこと。そんなことが好感度アップにつながる。「聞くは一時の恥、聞かぬは一生の恥」。ただ、同じことを何度も聞いてはいけない。

また社会人としての第一歩を踏み出したからには、収入もあるはず。いつまでも親がかりでいないで、まず自立を目指すべきだろう。安アパートの一室でいい。とにかく現実的に親離れをすることだ。

私自身、数多くの若者を見てきたが、自立している若者と親元から通っている人ではどこか違う。親元組は甘いところがあるが、自立している若者はシンがしっかりしている印象がある。ぜひ、親元から離れることで、社会人としての一本立ちをしてほしい。

いま若者たちは「草食系」などと呼ばれ、覇気がないような印象を受けるが、なかには将来の日本を託せるような若者もいる。たまたま、そんな二十代に会うと「頑張れよ！」

と、思わず声をかけたくなる。

若さは何よりの宝物である。あらゆる可能性を信じて、どんどん突き進んでいってもらいたいものだ。

川北　義則

目次

1章

《自分を伸ばすために》

二十代で経験しておきたいこと。

2章

《会社で働くときに》

これだけは知っておきたい、13のこと。

3章

《二十歳からの勉強法》

二十代の読書量で、人生は決まる！

4章

《社会人としての人間関係術》

絶対覚えておきたい「大人」のルール。

5章

《人に頼らない生き方》自分は自分！「比べる生き方」をやめよう。

6章

元気の出る二十代のための生き方。

《夢のある人生を楽しむために》

1章

《自分を伸ばすために》

二十代で経験しておきたいこと。

二十代は、「まずやってみること」が大事

多くの人の場合、社会人の始まりが二十代である。この時期に、まずしておかなければならないことは、自分の器《うつわ》をできるだけ大きくしておくこと。容《い》れものが小さくては、どうにもならないからだ。

では、どうやって自分の器を大きくするか。

二十代は未熟だから、とりあえず経験を積むしかない。何でも見てやろう、試してやろうと、いろいろな経験を積む。そして、それを脳の記憶として残していく。幸いなことに人間の脳の記憶ファイルは、どんな些細《ささい》なことでも失われないという。つまり、積んだ経験はすべて脳の記憶の倉庫に保管される。

忘れたように思えることも、決して忘れたのではなく、記憶を倉庫から引っ張り出せないだけ。何かの拍子《ひょうし》に必ず出てくる。だから、いろいろなものに触れて、記憶量を増やしておく必要があるのだ。

そのためには結果を問うよりも、とにかくやってみることが大切だ。

二十代の十年間は、これから数十年は続けることになる仕事の基礎固めをする段階である。いわれたことは何でも快く引き受け、成果を上げて、「仕事とはどういうものか」を覚える。そうやって自信をつけていく。野球でいえば、投手が投げ込みをやって地肩《じかた》をつくるようなものだ。

「自分はこんな雑用をするために、この会社に入ったのではない」

こんな不満を漏らす新人社員がよくいる。だが、それは大きな心得違いだ。新人のこの段階で学ぶべきは、仕事の内容そのものではなく、仕事のやり方だからだ。どこの会社にも、その会社の仕事のやり方がある。まずは、それを覚えなければならない。

会社の仕事というものは、一つひとつを見れば、それほど難しいものではない。だから「仕事がデキる」というのは、能力の差よりも、仕事のやり方の差であることが多い。もし能力差があったとしても、仕事のやり方の工夫でいくらでも克服できる。

そのためには、「これが何の役に立つのか」などといわないこと。そういう判断はまだ早い。どんなことも経験のうちと思って、前向きに取り組んでみることだ。

「やってみるのは学ぶのに勝っている」

スイスの哲学者ヒルティの言葉だ。この言葉は覚えておく価値がある。「やり方を知ることと、実際にできることとは、まったく別物である」ということを、この言葉はいっているからだ。

どんなことも、実際にやってみると、うまくいこうが失敗しようが、そのすべてが経験として脳に記憶される。この記憶は、次に同じことをやるときの創意工夫につながっていく。畳の上の水練よりも、池に落っこちたほうが、泳ぎを覚えるには役に立つのだ。

新人社員を迎えた先輩たちに「困った新人」のタイプを挙げてもらうアンケート調査によると、「雑用を率先《そっせん》してやろうとしない」「指示待ちで自分から積極的に動こうとしない」「好き嫌いで物事を判断し、露骨に態度に表す」というのが上位にあった。

これらはいずれも、非行動に通じる欠点である。こんなことでは、ろくに経験も積めないし、脳の記憶容量は大きくならない。器も小さいままだ。

二十代社員は、とにかく、何でも見てやろう、何でもやってやろうの精神で、仕事に臨んでほしい。

「自分探し」という落とし穴

二十代は「自分探し」の季節でもある。

自分探しとは「自分の現状に満足できず、本来の自分の性格、人生の目的など、納得できるものを探し求めること」と辞書に出ている。

私は日本がまだ貧しく余裕のない時代に育ったせいか、そんなことは考えたこともなかった。それでも、何とか並の社会人にはなれた。自分探しは、余裕のある人間がするのはかまわないが、「それをしなければ生きていけない」というほど切羽詰まった性質のものではないだろう。

むしろ、就業年齢に達していながら、なお働かずに遊んでいたい若者たちが、いまの気楽な身分を維持したいがために、「自分探し」という言葉を方便として使っているような気がする。

といって、自分探しをまったく否定するつもりもない。それどころか、一理も二理もあるとさえ思っている。なぜなら、次のような言葉があるからだ。

「もっとも気楽な生き方は、他人から自己限定してもらって、自己を持たないことです。自己の魂を他人に預けることです」

宗教評論家のひろさちや氏がいっていたことだ。ある種の宗教や組織に過度に依存した生き方がこれに当たると思うが、二十代の若者たちは、一歩間違えると、こういう組織の考え方に染まりやすい。

怪しげな新興宗教やインチキ商法にはまるのがそうだ。そんな人間になってしまうよりも、自分で自分の生き方を見つけるほうが、自主独立の精神に富んでいて、まだ見込みがある。だから自分探しをするのは悪くない。

ただ、やり方は少し考えたほうがいい。たとえば、誰かがいった言葉に感激したくらいで、その道を探ろうとするのではなく、予見をもたないで何にでも取り組んでみることだ。そのほうが自分探しとしては有効だと思う。

つまり、「自分に向いている職業が見つからない」「自分が本当にやりたいことがまだわからない」などといっていないで、就業年齢になったらさっさと働いたほうがいい。そうすれば、そのうち探しものは見つかるということだ。

だいたい、二十代やそこらで見つけた「自分」など、あとで見返せば大したことなどない。そんな自分を苦労して探すのはムダなことだ。仕事だって、何が向いているかは、携わってみなければわかるわけがない。

本当のことをいえば、自分探しというのは、人が一生を賭けてやるべきものだ。己は何者なのか。何のために存在しているのか。何をやればいいのか。ときどきだが、大人だってそんなことを考えながら生きている。

まだ社会人の始まりの時期に、そんなことを考えるのは十年どころか三十年早い。自分探しの根底には、「よりよく生きたい」という気持ちがある。だが、その結論はもう出ている。それを知りたければ、ベルギーの作家メーテルリンクの『青い鳥』を読めばいい。そうすれば、「さっさと働け」という意味がわかってもらえると思う。幸せは意外なところにあるのだ。

「仕事」で世間は甘くないと知れ

「私はこの世の中にいらない人間なんだ」

一年かけて何十社という会社を受けつづけたある地方の就活学生が、どこの社からも内定をもらえずにウツ状態に陥ったという。

この事実を伝える新聞記事は、こう書く。

「今春卒業予定の大学生は、五人に一人が職につけず、就職活動は厳しさを増すばかり。精神的に不安定になる学生も少なくない。深刻なうつに陥らないために、本人は何を心がけ、周囲はどのような配慮をしたらいいのだろうか」

就活学生をこのように扱うことが、本当に彼らのためになるのか、大いに疑問を感じるのは、私だけではあるまい。

おかしいと思うのは、「五人に一人が職につけず、就職戦線は厳しさを増すばかり」というくだりだ。五人に三人とか、五人に四人というなら、この深刻ぶった文章も生きてくるが、五人に一人では、下手すれば冗談と思われかねない。

「今日、僕はテストで八十点をとったら、母親から思い切り叱られ、夕食を抜かされました」というのと同じだからだ。あるいは、前日パチンコに一万円投資して、フィーバーした男が、その日あっという間に一万円すってしまい、それが原因でウツになるようなもの。

そもそも前提が間違っているのだ。

五十社受けて一社からも内定をもらえないのは、たしかに気の毒ではあるが、世の中に出てみれば、この程度のことは日常茶飯事《さはんじ》であることがわかる。

たとえば、車の営業マンが百軒の客先を訪問して、一台も売れないことはめずらしくないはず。それでウツになったら、周りは何というか。

「なんてひ弱な。営業に向いていないのか」

「工夫が足りない」

「もっとスキルを磨け」

会社に帰って上司に報告したら、「辞めちまえ！」と怒鳴られるのがオチではないか。

もし、私の前にこの学生が現われたら、私ならこういうだろう。

「何十社と回って一社の内定ももらえなかったんだってね。その粘り強い努力は立派だ。

君はよい経験をした。世の中に出ると、そんなことはいくらでもあるんだ。それを君は人より早く体験した。その経験はきっとこれから生きてくるよ」

実際に就活学生から事情を聞くと、数多くの会社を受けて内定ゼロの実態は、ＯＫしてくれた会社があっても「自分の希望に合わない」と自ら蹴っているケースがよくあるそうだ。派遣でもそうだが、本当の意味で職がないのではなく、こちらからあれこれ注文をつけているのである。

私たちのように、何もなかった戦後の焼け野原を知っている人間から見ると、この態度はまだまだ甘い。そんなことでウツになってしまうようだと、本当にこの世の中にいらない人間になってしまう。

欠点はあったほうがいい

「自分らしい欠点は残したほうがいい」

　こういっているのは、作家の曽野綾子さんだ。

　曽野さんには閉所恐怖症があり、治したいと思っていた。それであるときは名医の誉れ高い医師に、あるときは鍼灸《しんきゅう》の達人に、またあるときは病気治しで評判の祈禱《きとう》師に「治してください」と頼み込んだという。

　すると、三人とも同じ理由で「治す必要はない」といったらしい。その理由とは「治せば、あなたはあなたでなくなる」ということだったという。ここから曽野さんは次のような考えに至るのである。

「人間には多分、治す必要がない、というか、治してしまったらその人でなくなるという病気のような特徴がたくさんあるのであろう。私たちは、それを腐れ縁で仲良く付き合って生きていけばいいらしい。自分らしい欠点は、誰でも残しておけばいいのである」

なぜ、私がこんなことをいい出したかというと、ある外食企業の五泊に及ぶ新人研修合宿の模様をテレビで見て、感じるところがあったからだ。

その会社が行なっていたのは完全な洗脳だった。体育会系のノリで、五日間徹底的にしごく。すると、みんな同じように考え、同じような行動をとるようになっていく。あのオウム真理教がやっていたのと非常によく似ている手法のように思えた。

といって、この手の洗脳は、オウム真理教のオリジナルなんかではない。自己啓発セミナーなどで、さかんに使われてきた手法であり、いまでも社員研修などによく用いられている。

だから、この会社にかぎらない。企業というところは、新入社員に対して、鋳型《いがた》にはめるような教育をしてくることがよくある。それが新人研修の場合もあれば、上司や先輩が個別に指導するという形をとることもある。

私が気になったのは、そんな方法をみんなが従順に受け入れてしまっていることだ。就職難の時節柄もあり、またみんなの手前、その場で反発することが難しいことはわかる。しかし、だからこそ、曽野さんがいう「自分らしい欠点は残したほうがいい」という言葉を忘れないでいただきたいのだ。

誰でも自覚している欠点があると思う。他人から指摘されて気づくにしろ、自分で見つけるにしろ、「こういう点は改めなければ……」とひそかに思っている欠点は必ずあるものだ。それをどうすべきか。

まず知っておかなければいけないのは、大きな欠点に思えることは、必ず大きな長所と結びついていることである。やや極端な言い方をすれば、欠点と長所は同じものといえないこともない。見方によって、欠点にも長所にもなるということだ。

中国には「人を論評するときは、いつでもその最初に人物の長所を挙げていけば、短所はいわなくても自然にわかってくる」という言葉がある（司馬光撰『資治通鑑《しじつがん》』）。これも長所と欠点が結びついていることを暗に語っている。

改めなければならない欠点などタカが知れている。時間にルーズとか、約束を守らないなど、常識の範囲内のことばかりだ。常識を超えたところに自分の欠点があるようだったら、よく考えてみたほうがいい。もしかしたら、それはあなたの隠れた長所であるかもしれないからだ。

「欠点は常に裏から見た長所である」（徳冨蘆花《とくとみろか》）

やりたいことは、とことん追求しよう

二十代のうちに、何か一つ誰にも負けない「ウリ」を身につけておくことは、サラリーマン生活をするうえで必須条件になってきた。

きちんとした会社の正社員といっても、もうそういう身分だけでは意味をなさない。ゼネラリストでないかぎり、何か専門的なスキルをもっていないと、いつお払い箱になるかわからないからだ。

以前にも、そういうことはすでに起きていた。高卒や短大出の女性を事務職（一般職）として大量採用した時代があった。

だが、パソコンの普及で事務職のする仕事が激減、さらに、バブル崩壊以降の長期不況もあって採用がきびしく制限されるようになった。

技術進歩による雇用環境の変化はある程度予測できるが、サービス部門になると、見きわめが難しい。しかも、いまの世の中はめまぐるしく変化しているから、専門とまではいえなくても、とにかく人よりすぐれた能力を何か一つはもっていないと、雇用の不安定は一生ついて回ることになる。

では、どんなことをきわめればいいか。

カリスマバイヤーで知られる、元福助社長の藤巻幸夫氏の考え方が参考になるかもしれない。たとえば、スニーカーの収集にこる大学生の息子のその趣味を「やめさせたい」という母親の相談に、藤巻氏は次のように答えている。

「フジマキも伊勢丹時代から年二、三足の靴を買い続け、いまやわが家にはムカデが何匹いるのかわからないくらい靴があります。みんな現役、とても捨てられない。

息子さんも靴オタクなんだな。オタクという表現が適切かはわかりませんが、一つの文化に精通していることなんだから、バカにできません。

これからは一つのことを極めた人間が、ますます大切にされるはずだとフジマキは考えます。いつか才能が花開いて、将来の靴文化を背負って立つ人材になるかも。だからこの際、とことん追求させてあげてください」

これでいいのだと思う。

「何をきわめれば？」などと考えるからいけない。何でもいいから、自分が好きなこと、やりたいことを、とことん追求してみることだ。あるいは「これはまだ誰もやってない」ということでもいい。

雇用状態がこれだけきびしいのに、若い人たちの危機感は薄いといわざるを得ない。なぜなら会社に入ることばかりを考えて、肝心の自分磨きがおろそかになっているからだ。くどいようだが、会社に入れても、正社員になれても、そんなものは「いまとりあえず」でしかない。

ビジネスの前提がまったく変わってしまったからである。そのことをしっかりと理解していなくてはダメだ。会社とは何か、仕事とは何か、働くとは何か。この点に関して経営学者のピーター・ドラッカーはこういっている。

「これからは、組織で働く人たち、とくに知識労働者たるものは、自らの組織より長生きする。仕事を変えることができなければならなくなる。キャリアを変えなければならなくなる。（中略）知識労働者たるものは、これまでは存在しなかった問題を考えなければならなくなる」（『明日を支配するもの』ダイヤモンド社）

これはすごいアドバイスだと思う。

ここでいう知識労働者とは、単純肉体労働以外の労働者すべてが当てはまる。単純肉体労働は、いまや労働市場ではほとんど影を潜めている。運転免許証をもっている、パソコンを扱えるということも知識労働である。

しかし、もうそれだけでは生き残れない。その程度のことはみんなできるからだ。

それ以下はもうありえず、それ以上であって、なおかつ人に勝る何かを身につける必要があるということだ。何か一つをきわめることの大切さが、おわかりいただけると思う。

つまらない仕事にもベストを尽くそう

若いときはどんな仕事であっても、やって損をする仕事など一つもない。そう思っていて間違いない。もし、損をしたと思ったら、それはそのようにした自分が悪い。

一人の青年の話をしよう。彼は東北の生まれ。地元の高校を卒業すると、飲食業で身を立てることを目標にして、東京のある老舗《しにせ》レストランの見習いになった。

与えられた仕事は皿洗い。それが三カ月、半年と続いても、なかなか調理場へ回してもらえない。それが不満で辞めていく同僚が続出した。だが、彼は辞めなかった。

そして、単調な皿洗いを工夫してこなしていった。たとえば「一分間に何枚洗えるか」といったゲーム感覚を取り入れたのだ。一年たって、やっと調理場に入れた。だが、そこで見た現実は予想以上にきびしいものだった。

下働きばかりで肝心の調理はやらせてもらえない。彼が就職するときの条件は、「調理の腕を磨ける」ことになっていたが、それがほとんど無理なことがわかってきた。このレストランでは、高卒の未経験者を一から育てる気など初めからなかったのだ。

海外で修業したような人間を、調理の現場で積極的に採用していたからだ。それがわかってからも彼は三年間辞めなかった。一つは、ほかにいくアテがなかったこと、またここにいれば給料がもらえるし、住まいも提供してもらえるので、お金を貯められる。そう思ったからだった。

彼は将来、飲食業で独立するつもりだったから、調理の腕を磨けないことは、大きなハンデである。だが、彼はこの時点で一つのことを考えた。独立して店をもつには経営感覚も大切だ。どうせ、下働きしかやらせてもらえないのなら、この際、このレストランの経営のやり方を研究してみようと思い立ったのだ。

彼は約三年間、経営の側面から店を観察しつづけ、メモしたノートが十冊になった時点で退職した。それからの彼はすばやかった。貯めた資金を元手に、郊外に小さな洋食屋を開業した。自分の調理の腕には自信がないから、調理人を雇うことにした。

この店が予想外に繁盛し、第二号店を半年後に出店。以後、とんとん拍子に運んで、都合六十店舗の店をもつオーナーに十年ほどでなってしまったのである。その後、彼はその権利を売ってしまい、いまは全然別のことをやっているが、もしも彼が皿洗いというつまらない仕事に黙々と取り組んでいなかったら、こんな展開にはならなかっただろう。

本人がその気になれば、損になる仕事など一つもない。要は心構えの問題なのだ。

したがって、若いうちは下手に計算などしないで、目の前の与えられた仕事を一生懸命やっている人のほうが大きなチャンスに恵まれやすい。「こっちのほうが得だ」などと計算ばかりしている小賢《こざか》しい人間に、好運の女神は微笑《ほほえ》んではくれない。

つまらないことを一生懸命やれるのも、一つの才能である。この才能を磨いてみるのもいいのではないか。

どんどん失敗しよう

失敗することを望む人はいないが、二十代くらいのときは、むしろどんどん失敗を重ねたほうがいい。二十代にとって「失敗は義務」といってもいいと思う。

なぜか。失敗には、してみなくてはわからない大きな効用が認められるからだ。

失敗の効用について、お茶の水女子大学名誉教授の外山滋比古《とやましげひこ》さんの、含蓄のある意見を紹介しておこう。

「わたしは入学試験を三度受けて二度落ちた。ほめられる成績ではない。ずっと恥ずかしい思いをしていた。それが年をとるにつれて気が変わってきたのである」

どう変わってきたかというと、競争なんだから、受かる者と受からない者が出るのは当然だということ。勝負をすれば、勝者と敗者が出るのと同じ理屈だ。たまたま敗者になったからといって恥じる必要はない、ということだ。

だが、失敗で気づいたことは、それだけではなかった、と外山さんは指摘する。

「失敗の経験はのちのち思わぬ力になることに気づいた。一度も落ちたことのない人より失敗したことのある人のほうが、どこか芯が強く、根性があることが多いように思われる。一度もしくじったことのない恵まれた人はとかく脇が甘いようである」

本当にその通りなのだ。あの夏目漱石も一高時代に落第し、「あの経験がなかったら、いまの自分はなかっただろう。人間、一度は落第してみることだ」といっている。ただ、あまり年をとっての失敗はこたえるから、なるべく早いほうがいい。

「二十代に失敗しておけ」というのはそういう意味だ。

多くの人が失敗を嫌うのは、失敗の本質をよく理解していないからだろう。失敗とは何なのか。私は「やり方の間違いを告げるメッセージ」だと思う。ある目的へ向かって努力しているとき、方法論で間違えることがある。

そのとき「違うよ」と教えてくれるのが失敗なのだ。だから、失敗したと気づくことは役に立つ。そのことを端的に語っているのは、エジソンの次の言葉だ。

「失敗してよかった。二度と同じやり方をしないですむのだから」

成功した人間は「山ほど失敗した」とよくいう。これも当然だ。迷路を何度も行ったり来たりして、やっと出口にたどり着くのが成功ということだからだ。失敗なしに成功はないということになる。

　長い人生では、さまざまな失敗をする。笑い話ですむ失敗もあれば、痛手を被る失敗もある。だが、そのとき大切なのは、失敗という事実にどう対処するかだ。「もうダメだ」とあきらめてしまえば、そこで失敗はムダになってしまう。

「なにくそ」とあきらめないで頑張れば、先へ進める。結局、失敗は成功の一里塚のようなものだ。失敗したらそう思えばいい。そう思えば、へこたれないで行動を続けられる。行動しているかぎり、可能性がなくなることはない。

　二十代にたくさん失敗することは、いまいったような失敗の本質を知ることにつながる。そうすれば、いくつになっても粘り強く行動するクセがつく。「失敗しない者は、ついに何事もなし得ない」（フェルブス）という言葉を覚えておこう。

ライバルは、あなたの宝物

伸びようとする人にとって、ライバルという存在は、よい刺激剤になってくれる。よいライバルに恵まれるのは好運といえる。

スポーツ選手の寿命は決して長いものではないが、それでもよいライバルがいる選手は全盛期が長いように感じられる。

昔、古橋廣之進という水泳選手がいた。彼には橋爪四郎選手という手強《てごわ》いライバルがいた。古橋選手は「彼をマークすることだけを考え続けた。彼が五やれば十、十やれば十五といった具合にがんばった。努力を怠れば負けると、常に自分の心に言い聞かせていた。だから練習で気を抜いたことなど一度もない」と語っていた。

古橋選手の全盛期は長かったと記憶している。ゴルフの石川遼選手も、それなりのライバルが現われてから、急成長したのではないか。女子ゴルフも宮里藍、横峯さくらなど同年代のライバルが刺激し合って、世界に挑戦している。

プロ野球の巨人軍がV９という偉業を達成できたのは、同じチーム内に長嶋茂雄と王貞治というライバルが存在したことと、巨人軍にも西鉄ライオンズという天敵がいたことが大きい。歴史を眺めても、ライバルが身近にいることの大切さがわかる。

武田信玄と上杉謙信は、お互いに相手の存在が自分を成長させたことを感じていたはずだ。むしろ、二人はライバル関係を楽しんだ節すら感じられる。ライバルは身近にいることが大切なのである。

仕事上のライバルはどうやって見つければいいか。同一職場内にいるのが理想だ。何といっても、相手の動静が逐一わかるから、切磋《せっさ》琢磨《たくま》できる。切磋琢磨が一番自分を伸ばしてくれる要素である。

もしも、身近にいなかったら、一種の仮想敵をつくるしかない。同一業界内から自分とキャリアが似ている人間を選び出して、仮想敵として競うのである。これを子供だましと思ってはいけない。一国の軍備というものは、現実の敵ばかりでなく、仮想敵を前提に立案されている。このやり方は頭の訓練にもなって都合がいい。

いまの二十代はどちらかといえば「巣ごもり世代」で、他人の動向に関心を示さない傾向が見られる。とくに、男子にその傾向が目立つ。たとえば海外旅行へ行く人間が減っている。海外留学も同様で、ある大学では海外留学者がたった一人しかいなかったという。

中国や韓国は逆で、いまでもアメリカへの留学者が目白押し。明治維新のとき、日本の若者たちは「異国はわれわれの敵だが、敵から学ぶべきものは学ばないとダメだ」という意識で海外へどんどん出て行った。それを考えると、いまの日本の若者の現状は、ちょっと寂しい気がする。

いたずらに人と争う必要はないが、ゲームに参加すれば、誰だって勝とうとする。サッカーで外国と戦えば、日本人は日本を応援する。これは当たり前の感覚だ。二十代の人たちも一度この当たり前の感覚、あるいはゲーム感覚に戻って、自分のライバルを見つけていただきたい。仕事も「仲よく」ばかりでは、レベルダウンするだけだ。

よいメンターを見つけよう

男女を問わず二十代のうちに、よいメンター（良導者）を見つけて学ぶことは、自分の人生にとってきわめて重要なことだ。

坂本龍馬があそこまで大きな人物になれたのも、勝海舟というよきメンターに恵まれたからだ。もしも、勝に出会っていなかったら、龍馬は歴史に埋もれた凡人で終わったかもしれない。それは龍馬に能力がなかったということではなく、時と所を得ることもなく、玉が磨かれなかったということだ。

実際、世の中には、磨けば光る「逸材の卵」のような人物はいくらでもいる。問題はどうやって磨かれる存在になるかだ。

龍馬は、志をもって、自ら行動した。自分を磨いてくれる存在を、自分から探し回ったのだ。勝との出会いも、その名前を事前に知って、幕閣の偉い人に紹介状を書いてもらって、自分から会いに行っている。

人生では偶然の出会いが思いもかけない好運をもたらしてくれることもあるが、それだって求める気持ちがあっての話。だから、あなたも自分が組織内で成長したい、大きなチャンスに恵まれたいと思うなら、社内からメンターといえる存在を早く見つけることだ。どんな職場にも、まじめで信頼され、仕事もデキる人がいるはずだ。ただ、そういう人は必ずしも肩書や地位が立派とはかぎらない。

地位や肩書はあまりないほうが実は都合がいい。親しく接する機会がもてるからだ。社内で隠れた逸材といわれているような人物を見つけて師事しよう。

人は頼られると悪い気はしないから、いろいろためになることを親身になって教えてくれるはずだ。そのとき、できるだけ具体的に細かいことを聞くといい。

たとえば、酒が苦手な自分が、飲むのが好きな上司とうまくつきあう方法とか、出張のとき、お土産はどうするのか、男性社員だったら、女子社員とどれだけの距離を置くべきか。つまらないことのようだが、現実にはその類《たぐい》の話が一番役に立つからだ。

サラリーマン生活は、些細なことが仕事に深く関わってくるものだ。龍馬も、当時の武士にはあるまじき下世話《げせわ》なことをたくさん学んで、あれだけ大きな仕事をした。そのことは龍馬の妻おりょうが遺《のこ》した「聞き書き」を読むとよくわかる。

私たちの本づくりもそうだ。編集者というのは、一人の人間がそれこそ一生を賭けてつかんだような仕事の成果を、二十時間、三十時間の取材であらかた理解してしまう。よいメンターにめぐり会えば、その人が二十年、三十年賭けてつかんだノウハウを、自分のものにすることができるのだ。もちろん、そのまま通用するとはかぎらないが、メンターから学んだ人間と、学ばなかった人間との差は決定的である。

マイナスの過去とは、手を切る

「出ずる月を待つべし、散る花を追うことなかれ」

江戸中期の儒学者中根《なかね》東里《とうり》の言葉である。

散る花は美しいが、誰もそれを求めたりしない。これから昇る月こそが待つべきものである。散る花は過去、出る月は未来を指す。過去から未来への架け橋である現在を生きる人間が、どちらを向くべきかは、はっきりしている。過去にこだわってはいけないのだ。

二十歳くらいでも、人によってはつらい過去を引きずって、成長を妨げている場合もある。そういう人はどうしたらいいのだろうか。

私は、過去などすっぱり忘れてしまうにかぎると思っている。

どうして過去にそうこだわるのか。過去など「食ってしまった飯」のようなものではないか。うまかろうとまずかろうと、もうどうにもしようがないのだ。どうにもしようのないものにこだわっているのは、それこそ時間のムダというものだろう。

だが、人間にはトラウマというものがあって、これは意識してもなかなか消すことができない。それがずっとまとわりついて、その人の人生を支配している。そんな人はどのような手を打ったらいいのだろうか。

繰り返すが、気にしないということしかない。といって、そう簡単には忘れることができないかもしれない。そういう人たちに、ある考え方を提示してみたいと思う。それは解剖学者の養老孟司さんがいっていたことだ。

養老さんは解剖学者だから、これまでにおそらく何千という死体とつきあっている。ふつうの人には経験できないことを経験してきているから、ふつうの人にはなかなか思いつかない考え方ができる。そういう人の考え方を知ってみることも必要だ。

養老さんの考え方はこうだ。

人は刻々変わっている。細胞も一定期間で全部入れ替わる。そうなったとき、前の自分といまの自分は、はたして同一人物といえるか。人間社会の約束事では、同一人物として扱うしかないが、思考や想像という世界では、もっと自由に考えてもいいのではないか。

つまり、人間は変化するから、たとえば三年前に「君を永遠に愛する」といったのに、いまは「愛してない」といっても、それは仕方のないことだ。そう考えることもできる。

また、そう考えたほうが人間は楽に生きられるのではないか、ということだ。

この考え方は、なかなか魅力的だ。日本には昔から、これとよく似た考え方がある。

「ゆく河の流れは絶えずして、しかも、もとの水にあらず」

鎌倉時代の歌人である鴨長明《かものちょうめい》の随筆『方丈記』の一節。マイナスの過去にこだわるのは、過去に受けたトラウマをそのまま現在の自分が受け継いでいることで、「そんなのはバカらしいじゃないか」と受け取ることもできる。

過去に悩まされる人は、フラッシュバックなどあって大変らしいが、そこはひとふんばりして、いやな過去とは手を切ったほうがいいと思うが、いかがだろうか。

条件づけはいずれも過去と関わっている。マイナスの過去から抜けられない人は、自分が過ごしてきた過去の出来事に、過剰な意味づけをしているのだ。現在は何でできあがっているかというと、過去の想念と過去の行動だ。

だが、不幸な生い立ちにもかかわらず、そんなことを感じさせないで、明るく充実した人生を送っている人もいる。この差は過去の出来事をどう解釈したかによる。

過去のマイナスの記憶や思い出とは、早々に手を切ったほうがいい。そんなことより「いまという時間」を大事にしたほうがいい。

二十代に知っておくといい、二つの法則

生きていくうえで「覚えておいて損のないこと」というのがいくつかある。これもその一つといってよい。

何かで、自分の手に余るような問題にぶつかるときがある。そういうとき「まいったなあ。とても自分には解決できない」と思うことだろう。そうなると、気が動転して、できることもできなくなってしまう。

野球の試合で、一発逆転の場面に登場した代打者が、しばしば見送り三振するのは、あがってしまっているからだ。

ひどく困難な問題を抱えて「自分には解決できそうもない」と感じるとき、あえて次のように思うようにしよう。

「自分に解決できない問題は、絶対自分に降りかかってこない」

これが第一の法則だ。つまり、自分に降りかかってきたからには、自分で解決できる問題なのだ。そう思えば、逃げたり戸惑ったりしないで、真正面から立ち向かう気になるのではないか。難問を次々と解決する人は、経験からそのことを知っているものだ。

たとえば、選挙に立候補すれば、選挙違反の問題が生じてくるが、選挙に立候補しなければ、そういう問題はいっさい起きてこない。自分の身に降りかかる問題というのは、自分で解決するしかないし、また自分で解決できるものなのだ。

ただ、これはあくまで心構えであって、「では具体的にどう解決するか」という問題が次に出てくる。その解決策が当面見当たらないときはどうするか。

そのときは、こう考えるのである。

「問題の解決策は思わぬ方角からやってくる」

これが第二の法則。いまは解決策がわからなくてもいい……これでずいぶん気が楽になるはずだ。難問を抱えた人が苦しむのは、「とても自分では解決できない」と思うことと、「解決策が見つからない」ことの二つ。だが、解決策は「思いがけない方向からくる」のだから、いまはわからなくて当たり前なのである。

事業不振に陥った中小企業の社長さんが、多額の借金を抱えて自殺したりするのは、「もう自分の手に負えない」と絶望するからだろう。いくら考えても、打開策が見つからないとしたら、そうなっても不思議はない。

だが、冷静に考えてみれば、同じような状況でも、上手に乗り切ってしまう人だっている。なぜそうした人と同じように考えないのか。それは「難問の解答が思いがけない方角からやってくる」ことを知らないからなのである。

二十代はまだ、それほど深刻な問題を経験していないかもしれない。だが、これから先、いろいろな問題に遭遇する。なかにはとても自分では解決不能と思える問題もきっとあるはずだ。そんなとき、この二つの法則を覚えておくと、簡単にへこたれないですむ。

人間の心理は、似たような状況になると、みんな同じように考えるもの。それがマイナスの考え方だったとき、人は思いがけない悲劇的な行動をとったりする。そうならないためには、この二つの法則をきっちりと頭の中に叩き込んでおいていただきたい。

二十代の愚行のすすめ

若いときにしかできないことがある。二十代にしかできないことは何か。

年齢制限のあることは別にして、具体的な行為として「二十代しかできないこと」を規定するのは難しいだろう。では、二十代にやっておかなくては……というものはないのか。それを考えるとき、次の言葉が参考になると思う。

「青春時代にさまざまな愚かさをもたなかった人間は、中年になって何らの力ももたないだろう」（コリンズ／英国の批評家）

二十代は青春時代の真っただ中だ。その後の人生で後悔しないために、この時代にやっておくべきことは、結局は「愚行」なのだと思う。愚行とは、読んで字のごとく、「愚かな行ない」のことだが、あとで振り返って「あの頃は本当にバカなことをやったものだな」と苦笑するような、そういうことを何か一つはやっておくべきではないか。

人生には三大後悔というのがあるという。中年を過ぎた人たちに「あなたが後悔することは何ですか」と聞いたところ、次の三つが上位にランクされたというのだ。

①「もっと勉強（仕事）しておけばよかった」
②「もっと遊んでおけばよかった」
③「もっと恋をしておけばよかった」

この答えのポイントは「しなかった内容」よりも、「もっと」にあると思う。なぜなら、勉強も仕事も遊びも恋も、年齢制限があるわけではない。生涯やれる。にもかかわらず二十代を通過してしまった人間が、この三つで後悔するのは、「もうこれでいい」というまで「やり切れなかった」ということなのだ。

もうやり切れない、と思うほどやってみる。それが「愚行」だ。

たとえば、勉強でもいい。一心不乱に勉強していると、友人が来て「なんでそこまでやる。お前の実力なら、どこでも、絶対受かる。貴重な青春の時間を、勉強漬けで終わらせていいのか」と、いったとする。

それに耳を貸さずに、恋も遊びも封印して勉強に打ち込んだ。傍《はた》から見れば愚行に映るかもしれないが、二十代に何かに打ち込んだ経験は、必ずあとになって生きてくるものなのだ。

あのホリエモン（堀江貴文・ライブドア元社長）が、ブログで「起業してほぼ確実に成功する方法」について語った内容が新聞に掲載されていた。それによると、彼は東大を中退して起業した当時、「睡眠時間以外はすべて仕事に費やす」という一時期を過ごしたという。

「……起業後三年ほどは友達と飲みに行くこともなく、まして、異業種交流会の類にも参加しなかった。土日もなく、盆も正月もない。旅行もほとんど行かなかった。風呂に入る時間も髪を切る時間も惜しかった」

こんな毎日を送って何が楽しいのか、というのがふつうの感覚だろう。だがホリエモンは「楽しかった。面白かった」といっている。だが、同じことを「もう一度やってみるか」と彼に聞いたら、たぶん「もうイヤだ」というだろう。

ホリエモンはたまたま事業だったが、「愚行」は恋であっても、遊びであってもいい。十年、二十年後に「とても、あそこまではできないな」と思うようなことを、二十代のうちにやっておくといい。

2章

《会社で働くときに》

これだけは知っておきたい、13のこと。

叱られることに強くなる

いまの若者は叱られることに弱い。子供の頃に、親から叱られなかったのだろう。叱られることへの免疫力を欠いている。おかげで先輩たちは困っている。

どう困るのか。叱ると逆ギレする人間がいることだ。

「ダメじゃないか。そんな電話の応対はないよ。いいかね……」

「じゃあ、僕にやらせないでください！」

立場をわきまえていない。仕事をやろうとする気概もない。いったい何をしに会社へ来ているのか。先輩たちはあきれると同時に「あいつを叱っておこう」という気持ちがなくなる。これは新人たちの将来にとっては大きなマイナスだ。

会社で、上司や先輩が後輩を叱るのは、ちゃんとした意味がある。単に本人だけを叱っているわけではないのだ。

全体がたるんでいるとか、カツを入れる目的で誰かを叱ることがある。また、新人たちに自社の電話応対のやり方を教えるために、誰かの応対のまずさをとらえて指摘することがある。一人を叱ったからといって、叱られた人間だけの問題ではない。

「叱るには人を見る必要がある。叱られてショボンとしてしまう人間はうっかり叱れない。しかし、叱らねばならないことは当然出てくる。そういうとき、長嶋（茂雄）を叱れば、ほかの者もシャンとする。長嶋はよい叱られ役だった」（巨人V9時代の川上哲治監督）

叱られたり、注意されるのは気持ちのよいものではない。人前でやられたら、屈辱感を感じるだろう。だが、組織とは、個人と個人の感情のやり取りの場ではない。叱る側は組織人としての立場から叱っている。

したがって、組織の一員になったからには、叱られるのも仕事のうちと心得ておかなくてはならない。有能な上司は見込みのある人間を選んで叱る傾向がある。だから、叱られたら「目をかけられている」と思ってもいいのだ。

もちろん、そんなデキた上司ばかりではないだろう。なかには個人的な感情で叱る上司や先輩もきっといるに違いない。しかし、叱るというのは、組織論的にはいま述べたような意味があるのだから、その線で受け止めなければいけない。

理不尽な、あるいは心ない叱り方をされても「わかりました。これから気をつけます。

ありがとうございました」といってみることだ。アントニオ猪木の闘魂ビンタと思えば、それくらいのことはできるはずだ。

ある新米の新聞記者が、大企業の広報部長のところへ取材に行った。最初の質問をすると、部長はいきなり怒り出した。

「そんな基礎的なことも勉強しないで取材に来たのか。帰れ！」

新米記者はすごすご帰ったが、このまま引き下がったら、先が思いやられると考え直して、翌日、何食わぬ顔でまた行ってみた。するとどうだろう。新米記者の顔を見るなり、「よく来たな。さあ、何でも聞きなさい」と大歓迎してくれた。部長は、新米記者にはいつも同じ手を使って、記者根性を試していたのだ。

「叱ってくれる人に感謝できるようになってから、事業で成果を出せるようになった」

かつてこう語った、誰もが知っている著名な実業家がいる。あなたは、いったい誰だと思われるか。あのビル・ゲイツである。

叱られることに慣れないと、サラリーマンなどやっていられるものではない。とにかく「叱られること」に強くなってほしい。

小さな成功体験を積み上げる

小さい仕事を数多く確実にやり遂げる。二十代から三十代前半は、スキルと知識を吸収し、しっかりと基礎固めをする時期だ。仕事を選《え》り好みせずに何でも引き受けて、短期的な成果を上げることに全力を注ぐ。そうやって基礎体力をつけていくにかぎる。

一つの目標として、二十代に「やった！」という体験を必ずしておくことだ。若い人が自信をつけるには、ささやかでもいいから成功体験が必要なのだ。それには、とにかくやってみるしかない。

口では大きなことをいっても、結局何もできない人がよくいる。そういう人に欠けているのは、成功体験である。どんなにささやかであっても、何かを計画してやり遂げる体験をもてば、そこへ至るプロセスを学ぶことができる。

先輩たちは新人に自信をもたせようと、小さな成功を演出することがある。プロ野球選手でいえば、代打に立たせて、「思い切り振ってこい」という。そしてその思い切りがよければ、三振でも「よくやった」とほめる。

これが小さな成功だ。小さな成功を積み重ねることは、大きな自信になる。それには誰でもできることから始めればいい。自信というものは、一度でも成功体験があると驚くほどつくものだ。

「自信は成功の第一の秘訣である」と、アメリカの詩人エマーソンもいっている。自分に自信がもてない人間は、とにかく小さな成功を体験してみることだ。そのために気をつけなければいけないのは、否定的な言葉を口にする人とのつきあい方だ。

「そんなことをやって何になる」

人は、すぐにこういうことをいうものだ。こういう言葉に耳を貸してはいけない。

「人間というものは、現実にぶつかって練磨するという修業を経て初めて、大きく前へ進むことができる」

明の学者王陽明の言葉である。ここから「知行合一《ちこうごういつ》」という考え方が出てくる。

ふつうは考えることと行なうこととは別に考えて、まず知ることがなければ、行なうことはできないと考える。そして知って考え、次に行なおうとする。

このやり方はよくない。まず先に行なうことがこなければダメだ。やってみて初めて有益に考えることができるようになり、考えることと行なうことの意味が悟れるからだ。

人は行動する前に、何らかの予測をする。ところが人間の考えることの七割から八割は否定的だから、何かを始める前の予想はマイナスになりがちなのである。だが、実際の行動は、いつも予測を超えた結果をもたらす。行動することのよさは、思いがけないことに出合えることにある。

小さな体験を積み重ねたかったら、「面倒くさい」とか「何の意味があるか」などといわずに、すぐやってみることだ。そうすれば自然に小さな成功は積み重なっていく。それが大きな成功を収める第一歩になる。

自分の仕事力を「見える化」しよう

「これだけ努力したのに、少しも認めてもらえない」

こんな不満をぶちまける若手がよくいる。そういう人は、自分の努力を「見える化」するのが下手なのだ。

いまの時代は、運も才能もさることながら、「アピール力」がものをいう。これが希薄だと少しも評価されない。見逃されてしまうのだ。「努力しても評価されないこともある」と知ったうえで、自分がこなした仕事を認めてもらえる努力もしなければならない。

「一緒に働いている人間、直接の上司を自分の仕事でいかに説得できるか、存在感を示せるか、まずこれが一番大事。同僚が『なかなかよかったよ』と評価してくれて、こいつは給料に見合う仕事をしていると認めてもらったとき、僕たちは何者かになるんです」

こういっているのは、アニメ映画監督の押井守さんだ。押井さんは、ちゃんと経験を積む以前にいきなり演出家としての仕事をやらされたため、「現場にいる仕事人の半数は僕よりずっと若いけれど一人前でした」という。こういう過酷な環境で仕事を始めたので、認めてもらうことにより心を砕いたのだろう。

新米社員がまだ一人前でないことは、周囲が先刻承知している。しかし、自分のやったことは、認められないかぎり評価の対象外だ。あなたが期待され、固唾《かたず》を呑《の》んで成果を待たれているような人間なら別だが、そうでなければ、組織で仕事のやりっぱなしは厳禁だ。このことに気づかず「認めてもらえない」と文句をいう人も少なくない。

では、どうすればいいか。一般的には次のようなことをきちんとやるしかないだろう。

①会議では数少なくていいから必ず発言する
②企画書提出の機会を逃さない
③ほうれんそう（報告・連絡・相談）を怠らない
④良好な人間関係を保つよう心がける
⑤アフター5も適宜つきあう

日本人で初めてバスケットボールの米プロリーグNBAでプレーした田臥《たぶせ》勇太さんは、

下部リーグでの下積み生活を体験している。バスによる長時間移動、貧しい食事、練習環境の不備と、ないないづくしの中で各地を転戦して歩いた。

そのとき、どんな心構えで臨んでいたか。それは「そのときどきを楽しむ」であったという。これはよいキーワードだと思う。自分ではちゃんとやっているつもりなのに認めてもらえないと、否定的な気持ちになって「自分ばかり損をしている」と思いがちだ。

それでは会議に出ても発言できないし、企画書も「どうせダメだろう」と意欲が出ない。「ほうれんそう」も手抜きになりがち。そうなると人間関係もギクシャクして、つきあいの悪い人間になっていく。

負のスパイラルに落ち込むと、組織にとって好ましくないタイプの人間になるのはあっという間だ。その先に待っているのはリストラだったり、ウツだったりする。そうならないために、仕事の「見える化」を図ろう。それにはいつも「楽しむ姿勢」が求められる。

たとえば、上司から新聞記事のコピーを頼まれたとする。そのとき、ただコピーして戻ってくるのでは見過ごされてしまう。記事を読み、日付と媒体名を入れ、サイズにも気を配る。そこまでやれば、「あいつは仕事をした」と評価してもらえる。コピーだって楽しんでやれば、それくらいすぐに気づくことだ。

人の気持ちを忖度できる人間になる

二十代の若いうちに、ぜひ身につけておいてもらいたい能力がある。それは「忖度《そんたく》」ということだ。忖度とは「他人の気持ちを推し量ること」である。

「ときには、上司の判断や意識決定の足りない個所や気がついていない部分を、さりげなくカバーしていってこそ、信頼される部下としての評価を得られる」

クリエイティブマネジメント研究所長、井口哲夫氏のいっていたことだ。いまの二十代にはまだ無理かもしれないが、この他人の気持ちを推し量ることができるようになると、仕事もさらにレベルアップする。

歴史上で、忖度のできた人間は、豊臣秀吉が格好の例だろう。藤吉郎時代の秀吉が、草《ぞう》履《り》を温めた話は、忖度の最たるものだ。だが、これは織田信長が「温かい草履」を好んだから評価されたわけではあるまい。

信長は、若き秀吉の「忖度度」の高さを買ったのだ。事実、秀吉はその後、ずっと人も驚く忖度度を発揮してのし上がっていった。この点で出世競争のライバルだった明智光秀は、忖度度では秀吉に遠く及ばなかった。

この二人を見ても、忖度ということが、組織内ではいかに有効な役割を果たすかわかるはずだ。秀吉の薫陶を受けた石田三成も忖度度の高い人間だった。すぐれた武勲のない三成が西軍の大将にまでなれたのは、お茶を出すときの温度まで計算に入れていたことからもうかがえる。

いまだって、気のきいた会社では、客にお茶を出すとき、「あの人はぬるめがお好き」という情報が申し送りされていると聞く。こういう会社で育てば、忖度度は一段と高まるだろうが、いまはそういうことに気を使う人が急激に減ってきているようだ。それだけに逆に忖度度を高めれば、一歩先へ行ける人材になることができるだろう。

しかし、忖度度というのは、かゆいところに手が届くといった、気配りばかりを意味するものではない。仕事の面でも大いに発揮しなければならない能力である。

GEの元会長ジャック・ウェルチは、社員のレベルアップの方法として「ワークアウト」ということをいっている。現場の仲間が全員集まって、生産性の向上や職場の改善について話し合うことだが、この場で重視されるのが忖度度なのだ。

なぜなら、ワークアウトは「点検、チェック」という意味があり、ふだんからそういう問題についてきめ細かな観察眼を働かせていないと、とうてい議論に参加できないからだ。

これから有能な人材であるためには、忖度度も重要なスキルになると思われる。

いわれたことをスイスイこなせる人間が、「自分は人並み以上の能力がある」と思ってはいけない。いわれたことをやれるのは当たり前で、特別の評価に値することではないからだ。いわれない有益なことをやって「能力がある」と評価される。そうなって初めて、一人前のビジネスパーソンと呼べる存在になれる。

忖度することを覚えよう。

職場で放置される人、信頼される人

「職場でどんなタイプの人が敬遠されているか」ということを、ある銀行が社内の人間を使って調査した。そうしたら、次の項目がリストアップされた。

①自己中心的な人
②何かと皮肉をいう人
③面子にこだわりすぎる人
④すぐ自慢する人
⑤自分のペースにしたがる人
⑥約束を守らない人
⑦仲間と打ち解けない人
⑧公私混同する人

⑨悪口、うわさ話が好きな人
⑩人の欠点ばかりをいう人
⑪要領のいい人
⑫あげ足取りの多い人

これを見て「自分も該当するな」と思った人も多いはず。その通りで、みんなが多かれ少なかれ、人から敬遠されそうなことをやっているもの。

ただ、そのことに気づくか気づかないかで、結果はずいぶん違ってくるだろう。気づけば抑制できる。ただ、こんなにたくさんあると、どれかをやめても、どれかをやってしまいそうだ。

では、どれもしないですむ心構えというのはあるだろうか。それがわかれば、職場の人間関係はうまくいくに違いない。

私はこうすればいいのではないかと思う。それは何かというと、「人のことを悪く思わない、悪くいわない」を堅守することだ。

たとえば、自己中心的な人がいる。そのとき、あなたは「勝手な人だな」と思う。これがふつうの反応だ。でも、そう思わないようにする。「きっと何か事情があるのだろう」と思っておけばいい。実際、人の態度や行為には必ず何か事情があるものだ。

皮肉をいう人がいる。そういうときは「この人はこういう人なんだ」。面子にこだわる人がいる。「この人はそれで満足できるのか。かわいいもんだ」。自慢する人も、公私混同する人も同じ対応でいい。

要するに、「この人はこういう人なんだ」と、肯定はしないが、ひとまず受け入れるようにする。そうすれば、相手への批判の気持ちが薄れてくる。もちろん理不尽なことには、はっきりいってもいい。

人間関係のトラブルというのは、いつだって些細なことから始まる。それは、条件反射的に反応してしまうからだ。「こういわれたら、たいていの人間はこう反応する。だから自分も同じように反応しよう」。こんなふうにして、条件反射的な態度をとる。それをやめればいいのである。

カッコいい人間は、たいがいのことは歯牙にもかけない。だからカッコよく見えるのだ。

上司をゼッタイ、バカにしてはいけない！

上司にも当たりハズレがある。自分がダメ上司の下に配置される……こういうこともよくあることだ。

ダメ上司とは、どんな上司か。

まず、第一に「無能な上司」がいる。適切な指示もできず、手柄だけを横取りするとか、性格的に欠陥があって、仕事がスムーズに運ばないとか。数え上げたらきりがないが、ダメ上司にぶつかってしまったなあというとき、次の言葉を思い起こしてもらいたい。

「一兵卒の才能と将軍の才能は同じではない」（古代ローマの歴史家／リヴィウス）

どんな上司に対しても、こういう気持ちで接するのが長丁場のサラリーマン生活を乗り切る知恵である。

たしかに部下よりも実務面で劣る上司がいる。しかし、この言葉のように、平社員と部長、課長の才能は、簡単に一緒に並べて比較できるものではない。偉くなる人間には、偉くなる何かがあると思うべきだ。

「ピーターの法則」では有能なヒラ社員もやがて無能な中間管理職になるというが、それはその人間として最高の地位についたときのことで、中間管理職全体を見れば、有能な人間が多いのだ。もっといえば、愚かな上司からも学べるものだ。

実はサラリーマンにとって、自分の上司が「バカに見える」という状態は危険なことなのだ。こういう話がある。学歴では高卒だが、非常に天才的な発明能力をもつ日本人がアメリカへ渡った。

ＮＡＳＡ関係の企業に採用され、新人研修を受けることになった。そのとき一緒になった若手社員は、みんな一流大学出身だった。たった一人の日本人、しかも高卒のキャリアということで、彼は誰からも相手にされなかった。

その研修で彼は気づいたことがあった。みんな表向きは従順に上の研修員に従っていたが、内心ではバカにしきっていた。「オレ様たちに、こんな初歩的な研修をやらせるなんて」

彼を除く全員がそんな態度だったという。

それから三年の歳月が流れた。彼は才能を発揮してユニークな発明品を開発した。彼と一緒に研修を受けたエリートたちは、どうしたか？　ある者は業績が上げられず強制的に辞めさせられ、ある者は降格されて地味な部署に移っていった。同期でものになったのは、彼しかいなかった。上司をバカにしてはいけないということだ。

上司をバカにすることは、基本的に間違っている。会社が管理職にしたのだから、会社には判断があったはずだ。その判断まで否定することは、少し傲慢《ごうまん》かもしれない。もし、どこから見ても無能な上司がいたら、バカにするのではなく、「なぜ？」と考えてみる必要がある。

どんな人にも長所があり、他人よりすぐれたところがある。相手の長所が見えない人間が、相手を無能とかバカと思うのだ。そのような見方をする人間は、キャリアがいくらすごくても、組織の中では決してうまくやれない。組織人はこのことを肝に銘じておくべきである。

上司に意見をいうときの5つのポイント

職場で、上司に向かって自分の意見をいうのはなかなか勇気のいることだ。下手な言い方をすれば、反抗しているように受け取られる。また上司の面子《めんつ》を潰すことにもなりかねない。といって、いいたいことがあるのにいわないのは、こちらの腹が膨れるだけ。これは健康によくない。

では、そういうとき、どんな点に注意したらいいか。

①つねに相手の立場に立った見方を忘れない

上司の立場に立ったとき、どう感じるかという視点を失ってはならない。こちらは下っ端である。経験も浅い。そういう人間がいうことで、もしもやり込められたら、相手はどんな気持ちになるか。いかにこちらの意見が正しくても、相手を傷つけてしまうかもしれない。相手のことを考えて、押しつけがましくないよう、相手の立場がなくならないよう配慮することが必要である。

②越権行為はしない

自分の職責の立場からのみいうように心がける。組織の中にいるときは、守備についた野球選手のようなもので、外野手なら外野手の矩《のり》を越えてはならない。具体的には自分の職掌範囲内にとどめるということ。

③態度は謙虚かつ冷静に

職場はどんな場合もリーダーとフォロワー（構成員）で成り立っている。こちらの立場はフォロワーである。つまり部下ということ。ゆえに部下らしく、謙虚に意見を述べなくてはならない。

④建設的であること

仕事がうまく運び、人間関係にもプラスになるような意見、そのための改善案、アイデアなどをいうのはかまわないが、否定的な意見や抽象的な意見は差し控えるべき。いったほうも聞かされたほうにもプラスにならないからだ。

⑤事実に基づく

単なるうわさとか勘でいってはならない。その場で出さなくてもいいが、求められれば提出できる簡単な資料程度のものは用意しておく。仕事は具体的、現実的なものだから、意見も事実に基づかなくていけない。

以前、内部告発した人が「あれはすべきではなかった」といっているのを聞いたことがある。その会社は内部告発が原因で潰れてしまった。

内部告発者は会社の不正を糺《ただ》したのだから、基本的には間違ったことをしたわけではないが、それを聞いて私も「そうだよな」と思った。なぜか。そういっては何だが、大した不正ではなかったからである。

たしかに商品のパッケージに表示したものと中身は違っていた。そのあこぎなやり方は許されるものではない。しかし、会社が倒産し何百人の従業員が職を失うという制裁を受けるほどのことではなかった。

内部告発者はもっと違うやり方をすべきだった。少なくとも上司に意見をいって内部告発の予告をすべきだった。

そういう手続きを欠いたやり方は、いくら正義であっても、不幸な結果を招き何のための正義かわからなくなる。

会社というところは、内部から見ると相当にいい加減というか危なっかしいことをやっているものだ。

血気にはやる若者の中には、それが許せないという気持ちになることがあると思う。でも、そういうとき、いまいったような上司への気配りを忘れなければ、おのずとよりよい方向へと向かうものだ。

自分の意見を聞いてもらいたいときどうする？

自分の意見を聞いてもらいたいとき、最初に気を使わなければならないことは、「相手の都合」である。相手が上司なら、先方の手が空いているときを見計らって「申し訳ないですが、いまちょっとよろしいでしょうか」と、まずお伺いを立てる。

そして、相手が「いいよ、何だい？」とＯＫしてくれてから話しはじめる。これが上司や先輩への基本的な態度である。たとえ中身がどんな内容、飲み会の連絡であっても、この基本を崩してはならない。

こういう話を若い人にすると、「やれやれ」といった顔をする人がいる。

――上司や先輩とはいえ、ふだん職場で一緒に仕事をしている仲間なのだから、お互いもう気心は知れている。一杯飲むときなんか、お互いタメ口をきくこともある。だから、何もそこまで杓子定規《しゃくしじょうぎ》にしなくてもいいじゃないか――。

こんな気持ちを抱く人もいることだろう。もしそうだとしたら、その人はまだ学生気分が抜けていないといわざるを得ない。もしも相手の都合を無視して、勝手に自分の意見をいい出したら、周りの人間はどう見るか。

そんなあなたを「礼儀をわきまえない男」と批判的な目で見る。同時に、そんなふるまいを許した上司の面子も潰すことになる。その結果、あなたが聞いてもらいたかった意見の中身は、けっしてよい形で伝わらない。たった一つ、「相手の都合」を無視しただけで、あなたが意図したことは実らない。職場では、どんな親しくても礼節は守らないといけないのだ。

上司に意見をいうときは、次の三つのことに留意しよう。

①つねに上司の立場から考える

「いま、よろしいでしょうか」は、きっかけづくりにすぎない。相手の立場に立ったとき、ほかにも留意しなければならないことがある。たとえば、あなたがいう意見がどんなに立派であっても、聞いた上司がどう考えるかまで予測する必要がある。もし、上司の持論に反するものであれば、上司を傷つける。そこまで配慮する必要がある。

②自分の立場をわきまえる

いまの自分の立場とは、社内の身分やどんな仕事に携わっているかによる。いわば職責をわきまえる範囲内で、ということだ。上司と部下の関係で、部下が述べる意見は、あくまで仕事を通じてのものでなくてはならない。

③態度は部下の謙虚さを保つ

意見に耳を傾けてもらうためには、あくまで謙虚な態度が大切だ。わざわざ意見をいいに行くくらいだから、きっと聞くに値する内容だろう。場合によっては上司が「すばらしい」などとほめてくれるかもしれない。そんなとき、いい気になって、でかい態度をとったりしないこと。

上司ではなく、同僚に意見を述べるときはどうか。言葉遣いは「ちょっと、オレの意見聞いてくれないか」などとくだけた調子でもかまわないが、「相手の都合を聞く」という基本は変わらない。

職場の人間関係は「親しき仲にも礼儀あり」で臨まなければならないのだ。

職場では親友をつくらないほうがいい

どこへ行っても、すぐに人と親しくなれる人間がいる一方で、なかなか打ち解けられないという人がいる。

人はそれぞれで、昔は友だちが多いか少ないかなど気にしなかったが、いまは友だちの存在がその人物を測るバロメーターになっているらしい。

「あなたのお仲間を見れば、あなたがわかります」（セルバンテス／スペインの小説家）といわれているくらいだから、友だちの存在はその人の人となりを語る。その意味で、友だちを見るのは人物評価のうえでは大切な視点である。

しかし、だからといって、当人があまりに友だちの数や、あるいは質を意識するのは、どこか間違っているような気がする。人は別に友だちとのつきあいのために生きているわけではないからだ。また友だち関係は、いつだって当人にとっては個人的なもの。他人からとやかくいわれる筋合いのものではない。

ただ一つ気をつけなければいけないのは、職場での友情とふつうの友情とは一緒にしてはいけないということだ。どちらがいいとか悪いとかの問題ではない。異質な部分があるということだ。

ふつうの友だちというのは、昔からのつきあいでできた友だちだろう。幼なじみ、学校でできた友だち。友だちの友だちから派生した友だち。いろいろあるだろうが、どれもがプライベートな関係だ。

だが職場の人間関係からできた友だちは、これらの友だちとは違っている。職場でできた友だちとは、仕事を通じて知り合った関係である。はじめは仕事の関係だけだったが、つきあっているうちに親しくなり、仕事以外のつきあいもするようになった。そういう友だちである。

このような友だちは、ふつうの友だちよりも親密になる要素が多い。なぜなら、仕事では運命共同体であることが多いからだ。会社がうまくいけば自分も相手もよい思いをする。会社がうまくいかなければ、二人ともつらい目にあう。この点で仕事仲間の絆は強いものがある。

ふつうの友だちは、運命共同体にはなりえないから、淡白なつきあいもできるし、また別の要素によって、より濃密なつきあいになる場合もある。しかし、濃密なつきあいになった場合でも、仕事仲間とふつうの友だちとは、同じようなものだろうか。

同じとはいえない。なぜなら仕事仲間の友人は、自分のライバルにもなる存在だからだ。会社にはいつも出世競争というものがあり、いくら仲がよくても、仕事で競い合う場面が出てくる。

勝った、負けたがはっきりしたとき、友だち関係が崩れることもある。この点がふつうの友だちと違っているのだ。こう考えてくると、職場での人間関係では、私はふつうの友だち関係よりも一歩引いた感覚でつきあうほうがよいと思う。

なぜかというと、ふつうの友情関係なら、ケンカして「もう絶交だ」となっても、仕事には直接響かない。

だが、職場の友だち関係の破綻《はたん》は、出処進退《しゅっしょしんたい》にまで関わりかねない。そんなことで会社を辞めたりする事態になるのは、バカバカしい。

職場の人間関係を良好に保つには、何といっても一種の八方美人で、みんなとうまくやるのが最良の方法である。

結論をいえば、私は職場で親しい友だちなどつくらないほうがいいと思う。戦友は戦場ではできないと思ったほうがいい。戦場での友だから親しくなれないわけではない。だが、そこにあるのは、友情ではなく、目的意識のほうだ。

「友あり、遠方より来る。また楽しからずや」（『論語』学而篇）という。

職場の友は近すぎるのだ。

アフター5のつきあい、4つの法則

「先輩や上司が『今夜、一杯やろうや』と誘ったとき、喜んで一緒に飲みに行ってもいいし、『僕、飲めませんから失礼します』でもいい。要はのびのび行動することだ」

日本長期信用銀行（現・新生銀行）出身のエコノミスト竹内宏氏がこういっている。これは貴重なアドバイスだ。

最近、若手社員は「上司から飲みに誘われたら、万難を排しても行く」という考えの人が多いというが、この理由ははっきりしている。

きびしい就活を経て得た地位だけに、上司ともうまくやろうという気持ちが強いのだ。だが、この考え方にはちょっと問題もある。サラリーマン人生は長丁場なのである。最初から無理をしないことも大切だ。

はじめのうちは、上司に絶対服従していた人間が、途中で態度をコロリと変えたりすると、「何だ、あいつは」ということにもなる。もし飲むのが苦手なら、そのことをはっきり最初にいっておいて、そこそこのつきあいにしたほうがいい。

アフター5に上役や同僚と飲みに行くのは、日本的なサラリーマンの習慣だが、職場のコミュニケーション手段としても欠かせないものになっている。だが、今後はだんだん廃《すた》れていくだろう。

なぜなら、セクハラ、パワハラ規制がきびしくなって、昔ほどの意味がなくなってきているからだ。はっきりいって「飲みニケーション」というのは、終身雇用、年功序列の雇用形態の名残りといえる。

いまの若手が、それに喜んでついていくという風潮に、私が違和感をもつのは、そんなことをしても、若手にとって昔ほどプラスにならないと思うからだ。成果主義が導入されている会社なら、なおさらだ。

上司との飲み会のほかに、若手にはいわゆる合コンというのがある。これも、ほどほどにしておいたほうがいい。仕事を離れたくつろぎの場としてならかまわないが、これも自分のためにどれほど役立つか疑問だ。飲みに行くなら、むしろ三度に一度は、一人で行くクセをつけたほうがいい。

もう一つ、会社には飲み会のほかに、忘年会、新年会、社員旅行、お花見会など、職場単位の親睦行事がいくつかある。昔に比べれば少なくなったが、やるところは依然としてこまめにやっている。

こういうイベントに対して、「仕事をしに会社に来ているのだから、仕事以外のことはつきあわなくてもいい」というのも一つの見識ではあるが、忘年会や社員旅行などは仕事の延長と理解して参加したほうがいいだろう。これは職場でのつきあいのマナーのようなものだからだ。あまりに不参加だと職場から疎外《そがい》される。

しかし、会社のイベント、あるいはアフター5のつきあいは、いまの若手が思っているほど効果的なものではない。だから、つきあうに当たっては、次の諸点に配慮するといい。

①上司と部下、先輩と後輩のけじめをしっかりとつけてつきあう
②言葉遣いに気をつけて敬語をしっかり使う
③上司、先輩が打ち解けてきても、なれなれしくしない
④個人の陰口は絶対にいわない（伝わる可能性が大きい）

愛社精神よりプロ意識をもとう

企業人にとって、自分の会社への思い入れは、やはり大切なことである。だが、愛社精神がもてないと「よい仕事はできない」というのでは困る。いまビジネスパーソンに求められるのはプロ意識。このことは、若いうちから心得ておくべきだ。

こんなことをいうのも、「就職内定者の愛社精神が入社後急落する」という就職情報誌のアンケート調査を見たからだ。

それによると、「愛社精神があるか」との問いに、就職内定者の八〇％が「ある」と答えたのに対し、入社二年から五年の若手社員で「ある」と答えたのは五〇％にとどまった。

また転職見通しについて尋ねると、内定学生の七〇％近くが「しないと思う」と答えたのに対して、若手社員の六五％が「すると思う」と答えた。

まだある。上司から飲みに誘われたとき、内定学生の五〇％が「約束を断ってもつきあう」と答え、若手社員の八〇％以上が「断る」と答えている。

これほどわかりやすい反応はない。会社を外から見ている内定学生には、会社の存在が好ましく見え、いざ入社してみると失望する、ということだ。

このアンケートで私が気になったのは、最初の愛社精神。内定した人間が、その会社に愛社精神をもつのが早すぎる、と思うのだ。

何でも軽く、薄っぺらになっていく世の中だが、よく知りもしないで勝手に愛してしまい、ちょっとでも自分の思い通りにならないと、「なあんだ」とがっかりして熱が冷めてしまう。そんな態度でいいのだろうか。

少し単細胞すぎないか。転職でもそうだ。愛社精神がなくなると転職というのは、愛していないと仕事ができないに通じる。こういう気持ちで会社に勤めていては、質の高い仕事など望むべくもない。

遠くから見ていると美しい富士山も、登るときびしい自然に直面させられる。会社も同じことだと思う。まだ入社していないのに愛社精神をもつのもそそっかしいと思うし、短い期間で失望してしまうのも軽率である。

そもそも、いまのビジネスパーソンに愛社精神が必要か。これは、けっこう微妙な問題である。私は必ずしも必要だとは思わない。なくても誠実に仕事をやるべきだし、あっても、仕事ぶりがいい加減なら、何のための愛社精神かわからない。
「私がきらいな言葉に、愛社精神や会社人間などがあります。会社の一員であるかぎり、自分の企業に愛着を持つのは人情であり、それ以上要りませんし、それ以下もなかなかありません」

こういっているのは企業アドバイザーの宋文洲《そうぶんしゅう》氏だ。私もこの考え方に近い。ビジネスパーソンにとって会社は、愛したり失望したりする存在ではない。仕事人として自分を生かす場であり、社会へ何らかの役割を果たしながら、生活の糧を得る、いわば人生の表舞台のようなものだ。

入社したての社員が「僕、会社を愛してます」などというのは、軽薄な若者同士の恋愛みたいで、薄っぺらすぎる。愛社精神をもつのはもっと先でいい。せめて十年はその会社にいてからにしよう。

「会社は自分のためにある」と思えるか

多くの会社員は「自分は会社に雇われている、使われる身だ」という受け身感覚があると思う。

だが、会社員がみんな同じようにそう思っているわけではない。なかには「会社は自分のために存在している」と思っている人間もいる。これは不遜な考え方だろうか。必ずしもそうではないだろう。これからの会社では、むしろそう思っている人間のほうが役に立つし出世もできる。

一定の安定度をもった会社という条件はつくが、そういう会社に所属する会社員は、本当に恵まれていると思う。会社には、事業をするのに必要な経営資源がすべて整っていて、社員たる人間は、それを自在に利用することができるからだ。

このことは、一度でも自分が独立を目指して準備してみればよくわかる。自分でやるとなれば、何もかも自分もちである。まず資金がいる。少なくとも、自分の生活レベルとは桁違いに多額な資金を必要とする。

その資金を自己調達できればいいが、たいていは無理だから、借り入れに頼ることになる。多くの独立事業者はスタート時点で借金を背負うことになる。失敗すれば、その責任は個人の自分が負わなければならない。

次に信用である。そこそこの歴史をもつ会社であれば、その業界で一定の信用を獲得している。信用を築くのは容易ではないが、その信用を社員である人間は、まるまるそっくり利用できるのである。名刺の社名はダテではないのだ。

さらに必要な設備も会社には整っている。これを個人が独立して始めるとなれば、すべて新しく調達しなければならない。これにも多額の資金が必要になる。さらにいえば人材がある。いながらにして、会社の人材をフル活用できる。

まだある。会社に勤めていれば、毎月決まった給料がもらえる。これも人件費で悲鳴を上げる独立事業者にはない特典である。唯一、マイナスな点は、自分の力でいくら儲けても、それを独り占めできないことくらいだろう。

こう考えれば、会社員という職業を「使われる身」などと受身に考える必要はないことがわかる。それどころか、まさに「自分のためにある」ような存在ではないか。問題は、そう考えられるかどうかだ。

最近の二十代の若者たちを見ていると、雇われ人根性が強すぎるように感じられる。会社に忠誠を誓い、終身雇用、年功序列を望み……こういう考えの社員ばかりだったら、会社は活力を失ってしまう。それで会社がおかしくなれば、真っ先にリストラされるのは、従順な、雇われ人根性の人たちなのだ。

出世を求めない生き方も悪くない

入社十年目までの二十代社員に、「出世したいか」と聞くと、四割が「ノー」と答えるという。だからといって、会社を辞める気もない。適当にやろうとする。「ぶら下がり社員が増えた」とマスコミは批判気味に伝える。

しかし、四割くらいの若者が「出世したくない」と思うのは、ごく健全な考え方ではないだろうか。みんながみんな「出世したがる」と思うほうがおかしい。まして、いまの世界の大きな変化は、これまでの経済中心の生き方、会社中心の生き方への反省もあるのだから、若者がそういう時代変化を鋭い直感で先取りしても不思議はない。

実際に「出世なんかしなくても」と、若者をそんな気持ちにさせる事件が、ファーストフード業界で起きたことは記憶に新しい。日本マクドナルドが「店長」という肩書を理由に残業代を払わなかった事件だ。

労働基準法では一日八時間、週四十時間、それを超える場合は残業代を支払うことを決めている。しかし管理職は「そのかぎりではない」から、マクドナルドは店員を店長（管理職）扱いして残業代を払わなかった。身分が本当に店長なら問題はなかったが、ろくに権限も与えていないとわかって、裁判所から「残業代を支払いなさい」とお灸をすえられた。これが「名ばかり管理職事件」である。

しかし、マクドナルドばかりを責めるわけにはいかない。この手を使っているところは、いくらでもあるからだ。儲け主義に陥ると、企業は多少のインチキをやるようになる。それに加担したくなければ、出世はあきらめざるを得ない。だから出世を望まないのは、人間として健全な姿なのだ。

こんなことをいうと、「甘い考えだ。それでは世界との競争に負けてしまう」と心配する人たちが必ず出てくる。中国、韓国、インド、ブラジルなどの新興国がいまは元気で、日本をはじめ先進国に肉迫してきている。日本は韓国や中国にどんどん追い抜かれて、このままいけば、十年後、二十年後には、世界の二流国、三流国になるのでは……こんな心配をする人までいる。

しかし、その心配はないと私は思う。というのも、急発展した中国で、早くも「出世なんかしたくない」という人間が出はじめているからだ。中国の重点大学（エリート校）である上海外国語大学出身のジャーナリスト莫邦富（モー・バンフ）氏が、こんな意味のことを新聞のコラムで書いていた。

「母校で久しぶりに講演し、日本では覇気とハングリー精神に欠けたゆとり世代が出現しているという話をしたら、後輩の女性教授から、『すでに同じ傾向が、そのまま いまの中国の大学生にも当てはまる』といわれた」

莫氏は、日本が明治から数えて約一世紀半をかけて欧米に追いつき、ようやくゆとり世代を出現させたのに、中国ではたったの数十年で、もうハングリー精神が失われるとは「いくら何でも早すぎる」という気持ちらしい。

だが、早くてもいいではないか。「地位や名誉や収入が得られるかわり、重い責任を負わされる出世なんか真っ平だ」。国が発展し豊かになれば、自然とそういう人間が増えてくるのは健全な証拠なのだ。

別に全員がそう考えるわけではないから、うまくバランスがとれれば、国を大きく損なわず、一定の成長を維持していけるはず。世界中がそうなれば、もっと平和で安全、豊かな世界が出現する。

ピーター・ドラッカーは「近未来の萌芽《ほうが》は必ず現在の中にある」といった。出世を求めない若者の出現は、近未来の萌芽なのかもしれない。だとしたら、彼らのような存在を、がっかりさせない施策をとることが、世の中をよくすることにつながる。

日本で「ゆとり教育」は、なぜかひどくよくないものとして受け止められ、完全否定されてしまったが、本筋において私は「正しかった」といまも思っている。

二〇一〇年四月に入社した新卒社員は、正真正銘、ゆとり教育世代の第一期生だ。これから数年、二十代前半の若者の生態をチェックすれば、ゆとり教育の正否がわかるはずである。

3章

《二十歳からの勉強法》

二十代の読書量で、人生は決まる！

仕事のデキる人ほど他人の話をよく聞く

人の話を聞くことがいかに大切かを説明するとき、よくもち出されるアメリカの有名なエピソードがある。

電話局が一人の料金未払い男に手を焼いていた。誰が集金に行っても、理屈をつけて追い返される。そういうことが長年続いて、ある男が行くことになった。彼は前任者がどんなふうに相手に接したかを調べてから出かけていった。

まもなく、彼は全額集金して戻ってきた。みんなビックリして「どんな手を使ったんだ」と聞いた。男は答えた。

「いままで失敗した人たちが、集金に来たといって払ってもらえなかったので、私は身分を名乗っただけで、あとは何もいわずに黙って、彼の話をずっと聞いていただけです。そうしたら払ってくれたのです」

人の話に耳を傾けることは、相手の心を和らげる最良のテクニックだということだ。

禅僧良寛にもよく似た逸話がある。

旅をしていた良寛が、生家である名主の家を継いだ弟の家に数日滞在することになった。弟は良寛に放蕩息子《ほうとうむすこ》（良寛の甥）のことを訴えた。

「恥ずかしながら、息子は道楽者でして、私がいくら意見しても耳を貸そうとしません。あなたからきびしく叱ってやってください」

「わかった」

気楽に引き受けたものの、良寛は滞在中、息子に何度も顔を合わせていながら、諌《いさ》めるような言葉を一言も口にしなかった。息子は話好きで、良寛にいろいろな話をした。良寛は、いつもニコニコとそれを聞いているだけだった。

やがて出立の日が来た。

見送りに来た息子に、良寛は「お前もしっかりやりなさい。それでは達者でな」とだけいって旅立っていった。弟の名主はがっかりした。だが、この日を境に、名主の息子の放蕩はピタリと収まった。

息子が父親の意見に耳を貸さなかったのは、いわれなくてもわかっているようなことを、くどくどいっていたからだ。自分が悪いと思っていることがあるとき、それを「悪い、悪い」と指摘する人間の話くらい、聞く気にならないものはない。

いえばいうほど、相手は心を閉ざしてしまうものだ。逆に自分の話をよく聞いてくれる人には、自然に心が開く。心を開けば素直な気持ちになって、相手が望んでいることをやってあげようと思うものなのだ。

名主の息子は心を開いて、良寛が喜ぶであろうことを、自ら実行する気になったのだ。「人に好かれるには、あるいは説得するには、たった一つのことをすればいい。それは相手の話をよく聞いてやることだ」

十九世紀イギリスの宰相ディズレーリの言葉である。

セールスの世界では、この言葉がよく使われる。有能なセールスマンは、決して話し上手ではない。むしろ聞き上手の人が多い。ひたすら相手の話をよく聞く。すると、顧客は気分がよくなって、「何か一つくらい、この人の望むことを叶えてあげよう」という気になる。そうやって成績を上げているのだ。

言葉というものは、案外不便なもので、こちらがどんなに上手にしゃべっても、向こうの気分が悪ければ、ほとんど空振りに終わる。仕事のデキる人間を目指すなら、徹底して人の話をよく聞くようにすることだ。

知らないことはどんどん誰かに聞こう

最近の若い人は、知りたいことがあっても、人に聞くのが苦手のようだ。

一つはインターネット検索の発達があると思う。人に聞かなくても、検索すれば一発でわかる。だから聞く必要がないという考え方だ。

私は、この考え方こそが若者の教養レベルを低くしていると思う。なぜなら、検索で事足れりと思うことが、そもそも甘いからである。

検索でわかることなどタカが知れている。知識や情報はわかるだろうが、肝心のことは何も教えてくれない。検索で得られる知識は、補完的なものでしかない。

もう一つ、若い人が人に聞かない理由として「気が弱い」ということを挙げる人がいる。聞きたくてもコミュニケーション能力に自信がなくて、聞く勇気がもてないというのだ。そういうこともあるだろう。人の話を聞くには、それなりのコミュニケーション能力が必要になってくるからだ。

だが、私は、もう一つ大きな理由があると見ている。それは、そもそも何を聞きたいのかわからない。問題意識が希薄なのだ。

検索、気の弱さ、問題意識の希薄さ、この三つが一緒になって、人にものを聞こうとする若者が減っている。これはまずいことだ。

坂本龍馬という男は、人に聞くのが非常にうまい人間だった。わからないことを何でも聞いて学んだ。「耳学問」が、彼の受けた教育のほとんどを占めていた。

それで、時代を動かすほどの見識をもつことができたのはなぜか。人から聞いて学ぶことは、ほかのどんな学び方よりも本質を学べるからだ。たとえば定年間際のサラリーマンに「上司とのつきあい方のコツとは何ですか」と聞いたとする。

そのとき、相手がまじめに答えてくれれば、その答えの中にはその人の一生分のノウハウが詰まっているはずだ。人を得れば耳学問ほど有益な学び方はない。龍馬はそうやって学んで成長したのだ。

耳学問、すなわち人から聞いて学ぶことには、次の三つの効用がある。

①中身の濃い知識や知恵を授けてもらえる（スキルアップ）

②学ぼうとする姿勢を評価してもらえる（高評価）

③人間関係が良好になる（人脈の拡大）

人間は基本的に教えたがりのところがある。だから、人から聞かれると、悪い気はしない。礼を尽くして頼み込めば、よほどの利害対立がないかぎりは、心よく教えてくれる。そして「なかなか熱心じゃないか」と評価もしてくれる。さらに、それをきっかけによい人間関係を結ぶこともできる。

人に教えを請うということは、自分を伸ばす絶好のチャンスなのだ。これから何かわからないことがあったら、どんどん先輩や上司に聞いたらいい。「聞き方がわからない」などとひるんでいてはダメだ。

「こういうことが聞きたいのです。教えてください」と頭の一つも下げれば、たいていの人は喜んで教えてくれる。二十代は、まだ知らないことがいっぱいあっておかしくない年代だ。どんどん聞いて、自分を成長させよう。

「聞くは一時の恥、聞かぬは一生の恥」

先輩にかわいがられる人になる

若い人たちがよく使う言葉に「かわいい！」がある。何に対してでも、「かわいい」を連発する。これにはちょっと違和感をもってしまうが、上から「かわいがられる」ということはとても大切なことだ。

なかには、「会社なんだから」「仕事なんだから」「男なんだから」と、もっと理性的な態度で臨むべきだと思う人がいるかもしれない。それはその通りだ。いくらかわいくても、仕事ができないとしたら、そんな人間は評価に値しない……。

しかし、それは理屈なのである。そんな理屈をいっている人間は、まずかわいくない。かわいくない奴は遠ざけられるのだ。これも「情」というものをもった人間として、致し方ないことである。

人間の好き嫌いということに関して、現代人はずいぶん理性的になっている。昔はもっと露骨だった。殿さまに気に入られれば出世し、嫌われれば遠ざけられる。だから、家来たちは争って殿様から「愛《う》い奴」といわれようと努力をしたのだ。

いまだって基本は同じだ。

組織の人間は、組織の上部にいて生殺与奪権を握っている人間からかわいがられるに越したことはない。この事情は、芸能人がファンから支持されなければ業界で生きていけないのと同じだ。

では、いったいどうすれば先輩や上司から「かわいい奴」と思ってもらえるか。

これは、なかなかの難問でもある。何せ相手があることだからだ。「こうすれば、かわいいと思ってくれるだろう」などと自分で勝手に推測して行動しても、なかなか相手には通じない。見込み違いで逆に嫌われては元も子もない。相手があることだから、Aには通用してもBにはダメということもある。

しかし、この難問をクリアする方法が一つだけある。「絶対」といい切ることはできないが、逆効果にはならず、平均六十点から八十点くらいはとれるかもしれない方法である。

それは「相手をかわいいと思ってしまうこと」である。上司を「かわいい」と思うというのはヘンな言い方かもしれないが、とりあえず「いい人」だと思うのだ。

人間とは、こちらが好意を抱いていると、相手も好意を示してくれる。相手を嫌っていると、向こうもこちらを嫌うようになる。これを心理学では「鏡の法則」と呼んでいる。これを援用する作戦である。

「そんなことできるかなあ」と思われるかもしれない。でも、これはすでに銀座のママとか売れっ子ホステスなどは、とっくの昔から使っている方法だ。魅力的な政治家、苦労人の創業経営者、有能な外交官、やり手の営業マン、みんな自家薬籠中《じかやくろう》のものにしている方法だ。

銀座のホステスが、マントひひみたいな爺さんをつかまえて、「このハゲちゃん、かわいい！」なんていいながら抱きしめるのは、この作戦遂行中の姿である。はじめは「キモチワル！」という心境だが、何度かやっていると本当にそう思えてくる。

上司にかわいがられたいなら、同じように自分が上司をそう思うよう努力してみることだ。そのためには「単純接触の原理」という方法を使うといい。相手に接触する機会をできるだけ多くするのだ。

たとえば「誰か、この書類A社へ届けてくれないか」などといわれたとき、「はい、私が行きます」と真っ先に手を挙げる。用がなくても、その人物の目に触れるような行動をとる。これは、別に特定の対象でなくてもいい。

職場で、下手な理屈をいっさいいわず、いつも元気に明るく行動的にふるまっている人間は、間違いなく人気者のはずだ。少なくとも憎まれたりはしない。そういう人間になれば、自然に先輩たちからかわいがられるだろう。

時間をムダにしないという覚悟

会社の勤務時間は九時から五時がふつうだ。これを守っていれば「文句をいわれることはない」とあなたは思うだろうか。もし「思う」だったら、前途は暗い。

企業人は時間の拘束を受けるが、だからといって時間を売っているわけではない。時間の器の中で能力を売るのがプロの企業人だ。したがって「五時になったから帰らせてください」は通用しない。このことは肝に銘じておくべきだ。

では、五時になっても帰ってはいけないか。そんなことはない。その日、もう仕事がなければいいのである。仕事があれば終わらせなければならない。もちろん、翌日にやればよい仕事なら、翌日に回してかまわない。

問題は時間に対する意識の持ち方なのである。

就業時間が九時から五時だから「五時になれば帰れる」と安易な割り切りをしてはいけないということだ。若い人たちは総じて、時間に関して固定観念をもちすぎている。たとえば、「一日の勤務時間は八時間」というのも固定観念である。労働基準法ではそう定めているが、成果主義の時代に、時間だけで評価されると思うのは甘い。

ところで、あなたは時間を決めて人に会うとき、時間にぴったり行くタイプだろうか。それとも早めに行くタイプか。遅れるのは論外だが、ぴったり行くよりも、十五分か二十分早く行くほうが時間管理としては正しいやり方だ。二十分も早く行くのは時間がもったいない。それだけの時間があれば、何か別のことができると考える人もいるだろう。

だが、仕事を現実的に考えたとき、十五分後に出なければならない状況で、集中力を要する仕事はできない。それより早めに約束の場所へ行くか、近くの喫茶店にでも入って時間調整をしながら、余裕のある気持ちで「浮いた時間」を使ったほうがいい。私はいつも約束よりも早めに行き、落ち着いた気持ちで、一仕事をすませるようにしている。

仕事のやり方を覚える時期に当たる二十代は、時間の有効な使い方を体得するのも大切なことである。時間に関して、先輩たちはたぶん「やることの優先順位をつけよ」というだろう。時間をムダにしないためには、優先順位も大切なことだ。

だが、実際の時間の使い方というものは、その人の性格や個性、置かれた状況などで違ってきてもかまわない。優先順位も、一度決めたら「その通りにしないと気がすまない」

という融通のなさのほうがむしろ問題だ。

時間管理の本を読むのも、パソコンのスケジュール管理ソフトで行動スケジュールを細密に決めるのもけっこうだが、こだわりすぎるとかえって自縄自縛《じじょうじばく》に陥る。いまは携帯電話もあることだし、あまり無理をしないで、ストレスを感じない自分なりの時間管理法を編み出す工夫をすればいい。どんなに細密なスケジュール表をつくったところで、その通りには運ばないことが必ず起きてくるからだ。

時間に関しては、「ムダにしない」という覚悟が一番大事で、それがしっかり腹におさまっていれば、自然に有効な使い方ができるようになる。具体的には、いま自分がしていることに「どれだけの意義があるのか」を考えながら時間を使えばいい。

時間に関しては古今の賢人がいろいろいっているが、あの発明王エジソンの次の言葉が二十代の人たちにはぴったりだと思うので紹介しておこう。

「決して時計を見るな。これは若い人に覚えてもらいたいことだ」

当たり前のことを当たり前にやれ

二十代で新聞記者になったばかりの頃、私は見出しの大きくなりそうな記事を書きたいという気持ちが強かった。

記者本能として当然のことだが、そんなネタはやたら転がっているものではない。でも当時の私は、そういう素振りを見せない先輩たちを、やや批判的な目で見ていた。

だが、何年かたって気づいたことがある。それは地味な仕事も派手な仕事も、会社の仕事であるかぎり、比重はそんなに違わないということだった。

演劇で主役を張る人間は目立つからちやほやされるし、「あなたなしには……」などとお世辞もいわれる。だが、一本の演劇は、裏方も含めて、それに参加した人間全員の力が結集して初めて成り立っている。

仕事というのは、九〇%以上が当たり前のことである。当たり前のことを当たり前にこなしたうえで、わずか二%くらいの新しいことが加わると、人も驚く新機軸が生まれる。

会社には、その二％をやる人間と九八％をこなす人間の両方が必要だ。

ただ、当たり前のことを当たり前にやっただけでは、人はなかなか評価してくれない。二十代の頃は、こんな思いがあると思う。仕事のデキる人は、何か特別な能力をもっているに違いない……と。

そう思っている人は、どんな人間が出世していくか、自分の会社の中でじっくり観察してみるといい。出世していく人間というのは、若手社員から見たら「どうして、あの人が……」と首を傾げたくなるような人たちであることが多いはずだ。

これはどういうことか。ほとんどの人が九八％の当たり前の仕事をしているのである。生命保険会社などには、必ず伝説的な営業マンがいる。売り上げ日本一とか、十年連続トップを守ったなど。そういう人間はたいてい契約社員だ。出世などしないのである。

これでおわかりだろう。組織では当たり前のことを当たり前にする人間が評価される。なぜか。一番信用できるからだ。信用力をつけるには、当たり前のことを当たり前にこなせる人間にならなければいけない。

「大事をなさんと欲すれば、小なることを怠らず勤むべし。小積もりて大となればなり」

これは二宮尊徳の言葉だ。世の人はとかく小事を厭《いと》い、大事を欲するけれど、本来大は小の積もったものである——ということである。

ビジネスもまったく同じである。お茶の一杯、コピーの一枚、伝言の一言をもおろそかにはできない。新しい製品を開発するとか、大きな取引を決めることだけが、会社に大きく貢献するのではないことも知っておく必要がある。

そして会社に入ったら、まず些細な仕事をきっちりとこなせる人間になることを心がけよう。そうすれば信用がつく。社内で信用がつくとは「社外に出しても心配ない」と認められることだ。そうなって初めて、望むような仕事をやらせてもらえる。

数字にだけは強くなっておけ

二十代に身につけておくべきことの一つに「数字に強くなる」ということがある。

まず、自分が携わる仕事に関する基本数字を覚える。数字を見ただけで、状況変化がわかるようでなければダメだ。これがビジネスパーソンとしての基本中の基本である。

次に仕事に直接関わりがなくても、円相場、平均株価、金利水準、ＧＤＰ、国の予算、国の借金などの数字を見て、一定の判断が下せる能力が必要だ。また、バランスシート、損益計算書を見て、その会社の状況把握ができなくてはいけない。

「ビジネスで成功しようと思う青年は、物理や化学や、その他のすべては必要ではない。彼はいつも科学者を雇うことができる。それより数字を勉強すべきである。いかなる場合も数字が第一だ」

これはロックフェラー一世の言葉である。ビジネスパーソンで、いま挙げたような数字をよく理解できていない人もいる。たしかに現場で仕事をするうえでは、知らなくてすむ場合もあるが、先のことを考えたら、この程度のビジネス知識がないと、結局は大局を見誤ることになる。

ただ、そう難しく考えることはない。数字というのは、年中変わるものだから、基準値や桁を間違えなければいいのだ。

その時々の水準と、上がるとき、下がるとき、それぞれどんな影響があるのか、そういう常識的なラインを押さえておけばいい。株価も金利も同じである。細かい数字を覚えるのではなく、経済の動きを大雑把に理解できる程度で十分だ。

ビジネス数字を理解しておくことの重要性は、二つの側面から考えられる。その時点時点の経済の動きを正確に判断するため。まずそれがある。円高、円安の意味も理解していないようだと、自分にも仕事にも影響する。

もう一つは、数字にだまされないためだ。たとえば失業率が五・五％に達したとする。長い間三％、四％だったのが、五％台になった。これは戦後最高の数字である……こんな報道に接すれば、「大変だ」という思いに駆られる。

だが、そういうとき、ほかの先進国の数字を知っていれば、より正確に把握できる。ドイツでは失業率は一〇％を超えている。イギリス、フランス、アメリカだって、日本よりもはるかに高い。でも経済はきちんと回っている。

こういうことを知れば、日本の失業水準は「そんなに心配する必要はない」ということがわかる。とかく日本では悲観論が横行するから、この点に気をつける必要がある。最近は「幸福度」という数字が出てきて、日本の数値が低いと話題になったが、この種のデータは、いい加減なものが多いから、あまり気にする必要はない。

テレビなどで、経済評論家がとうとうと数字をしゃべることがあるが、ああいうのは、ほとんどが都合のいい数字を並べているだけ。事前に覚えた数字を権威づけのためにしゃべっているにすぎない。こういうことがわかるのも、ある程度基本数字を知ってこそのこと。そういう判断のよりどころとして、数字に強くなっておく必要があるのだ。

ノーベル経済学賞の候補にもなったジョーン・ロビンソンという女性経済学者が、「経済学を学ぶメリットは？」と聞かれて「経済学者にだまされなくなること」と答えたという話が伝わっている。だまされないためにも数字を知らなくてはならない。

二十代の読書量で、人生は決まる！

読書で人生が決まる――大げさだと感じる人がいるかもしれない。だが、これは「ほぼ本当」のことである。ほぼ、といったのはわけがある。私の考える読書が、一般の考える読書とは少し違っているからだ。

読書といっても、単行本だけでなく、雑誌、週刊誌、新聞でもいい。また、全部読まなくてもいい。小説とか伝記なら本を読まずとも映画やドラマでもいい。朗読でもいいと思っているからである。

若者が活字離れしてから久しい。

だが、人は印刷技術を確立してからは、ずっと書籍を読むことで考える力を養ってきた。新しいメディアの出現で読み方は多様になったが、これはメニューが増えただけで、読書の効用はいささかも変わらない。

やはり、本を読まないと論理立てた考え方ができなくなる。また基本の教養が身につかず、人とのつきあいでも困るし、発想や行動にも影響を与えるようになる。実際にその影響は随所に現われているのではないか。

たとえば、若い人のコミュニケーションは、携帯電話、パソコンなどでますます活発だが、大きな欠陥がある。昔は読書を通じて価値観の共有ができていたが、いまは価値観の共有がない。その結果、コミュニケーションが一方的なものになっている。

つまり、相手への心配りが足りない。このことは、大きな不都合を生んでいる。最近、東京都が活字離れ対策として、言語力、表現力を磨くための勉強会を職員を対象に始めたという。これなど、おそらく都職員の業務に、本を読まないことのマイナスの影響が出はじめているからだと思う。

読書はさまざまな価値観との遭遇の場だ。読書によって、古今東西の先人たちの考え方や価値観に触れられる。それは楽しみであると同時に、仕事や生き方にも触発されるものが得られる。これは何物にも替えがたい。

最近、本当にビックリしたのは「一人で学食へ行けない大学生がいる」と知ったときだ。テレビでやっていた。その理由がまた驚きだ。一緒に食事をする友だちがいないのが恥ずかしい。それでトイレで一人食べるのだという。

完全に視野狭窄《しやきょうさく》に陥っている。広い世間を見ていない。おそらく自分が属する狭い集団の中のルールでしかものを考えていない。こんなことになるのも、もっと読書をして、視野を広げてこなかったからだと思う。

就職したばかりの息子と月に一回飲む機会をもっている私の友人は、息子の前で固有名詞を出すのが怖いという。「そんなことも知らないのか」と思わずいいたくなるからだそうだ。ごくふつうの育ち方をした青年でも、われわれ世代から見ると、非常識きわまりないのだ。

こういうことをいうと、「あなたの若い時代だって、大人から見ればそうだったんですよね」という人がいる。だが、それは正確ではない。携帯電話、パソコンの出現で、完全に次元が違う問題を引き起こしていると思う。

これから書籍情報端末が普及して、読書のあり方を変えるだろう。新しい電子書籍端末で読むのでもいい。紙媒体でなくてもいっこうにかまわない。

ペーパーレス書籍の時代が来てもおかしくはない。これは図書館が隣に引っ越してきたようなものだから大歓迎だ。

だが、とにかく過去の書籍を手当たりしだいでいいから、どんどん読んでもらいたい。

とくに若いうちは長編に取り組んでほしい。

「書物は、人の精神の食物なり。一日食せざれば、人の肉体飢うるがごとく、一日読書せざれば、人の精神は飢えむ」（明治大正の文学者／大町桂月）

どんな本を読めばいいのか

前項でも述べたように、本は絶対に読んでおいたほうがいい。もしも、いままで読書の習慣をもたなかったのなら、いまからでも遅くない。自分に課せられた宿題だと思って、仕事と関係のない本を、年間三十〜五十冊くらいは読破していただきたい。目標は一週間に一冊だ。

もし、私のアドバイス通りに、二十代を通じて毎年実行できれば、四年制の大学を一つ卒業したくらいの知識教養を身につけることができる。そして、その先の人生に必ずプラスになるだろう。

問題は、世の中には本が多すぎることである。いったいどんな本を読めばいいのか、読書習慣のない人にはそれがわからないと思う。といって、私がここで「あれ読め、これ読め」と具体的な書名を挙げるのはあまり意味がない。

なぜなら、あまりに私の好みを押しつけることになるからだ。私が過去に読んだ本が何冊あろうと、それは大海の一滴にもならない。だからそんな狭い読書歴の私に、他人にすすめる資格はないのだ。

そこで書名を挙げずに、読書の指針を示してみることにしよう。まず、第一に挙げられるのは岩波文庫である。文庫本はハンディで安くて便利。岩波文庫の目録本を手に入れ、たくさんある採録本の書名と三行くらいの解説文を読んで、その中から興味のもてそうな本を見繕《みつくろ》ってみる。書店でパラパラめくってみて、これなら読めそうというものから、一年間に読む本を三十冊から五十冊選んでいってほしい。

岩波文庫には、西洋の作者の翻訳本、日本の作者の本、古典系の本など、いくつかのジャンル分けがあるから、それぞれの目録本を手に入れて、その中からバランスよく選ぶといい。まず一年目は岩波文庫だけで十分だ。一年間それを実行すると、自分なりの好みが出てくると思う。そうしたら、それに沿った本を選んでいくといい。

以上が読書作戦のメインメニューである。だが、これだけではあまりにバラエティーに乏しいので、サブプランとして、ベストセラーになった本や話題になった本にも目を通していただきたい。どのような本が売れているのか、世の中を知るためにも大切だ。

そして、もう一つ注文がある。

それは絶対に新聞を読め、ということである。ある大学で、教授が四十一人の学生に「新聞をとっている人」と聞いたら、たった四人しか手を挙げなかったという。いまの学生がそうなら、社会人の二十代でもとっていない人が相当いると思う。

情報だけなら、インターネットで十分だが、新聞にはニュースだけではない囲み記事などがあって、それが仕事にいろいろ役立つことが少なくない。社会人になって新聞をとっていないのは恥ずかしい。ぜひ定期購読するようにしていただきたい。一紙は必ず、できれば二紙、三紙と目を通してほしい。

作家の曽野綾子さんが、新聞のコラムで「私が会社の社長だったら新聞を読まない社員は採用しない。若者だったら結婚相手としても困る」と書いておられたが、私もまったく同感。世の中には、同じ気持ちの大人は大勢いる。

二十代のうちに新聞を読むクセをつけておかないと、三十代、四十代になって落ちこぼれていく恐れがある。なぜなら、共通の土俵で会話ができなくなるからだ。読書にも同じことがいえる。読書の効用は次の言葉で尽きている。

「わたしが人生を知ったのは、ひとと接したからではなく、本と接したからである」（フランスの作家／アナトール・フランス）

たとえば、あなたは「味のわかる人」か？

よく「五感を使え」というが、その意味をわかっていない人がいる。「そんなことわかってる」と誰もが思う。そして「現に使っているじゃないか」と思ってしまうのだ。

五感とは視覚、聴覚、嗅覚《きゆうかく》、味覚、触覚のことだ。若い人にかぎらず、みんなそうなのだが、現代人は視覚や聴覚以外の能力をあまり使っていない。

たとえば嗅覚など、いやな臭いをかぎ分ける程度にしか使っていない。味覚だって、「うまいか、まずいか」を判断する能力としか考えていない。だが、五感というのは、もっと深い意味をもっている。

何のためにあるかを考えてみれば、それはわかる。生き延びるための情報収集器官が五感なのだ。そのために備わっている。人間はいろいろな文明の機器を発明して、五感に頼ることが少なくなっているが、ほかの動物は五感だけを頼りに生きている。そう思えば五感がいかにすぐれた能力なのかわかるはずだ。

五感を使えとは何を意味しているか。ふだんから使って「磨いておけ」ということだ。五感は使わないとどんどん鈍《にぶ》くなっていく。これは誰もが経験で知っているだろう。鈍った五感では、いざというとき役に立たない。

では、いざというときとは何か。いろいろあって一口にいい切れるものではないが、たとえば味覚でいえば、これが発達しているかどうかは、人間を評価するときの判断基準として大いに役に立つ。

たとえば、先輩が「今日は一流の寿司屋へ連れて行ってやる」といったとする。あなたはついていく。なるほど、いかにも高そうな寿司屋だ。

だが、食べてみたら、大した味ではない。ネタにばらつきがある。よく吟味されていない。見せかけの一流店だな、と思う。それがわかれば「先輩が一流というのは、この程度の店か」と結論できる。

そこから、この先輩は世間の評判に左右されて、いろいろいっているだけで、自分で判断していない人間だなとわかる。

これは人間評価のほんの一例にすぎないが、あなたに一流の味覚が備わっていれば、相当レベルの高い人間評価が可能になる。

嗅覚も磨けばすごい情報収集力をもつ。シャーロック・ホームズは「優秀な探偵になるには、少なくとも七十五種類の香りの知識が欠かせない」といっている。

また、十人の子供にまったく同じ白いTシャツを着せて三日三晩過ごさせ、母親に「あなたの子供の着たシャツはどれか」を当てさせる実験で、九〇％の母親がピタリと当てたという。

五感は想像以上にすごい能力なのだ。その五感を磨けば、さまざまな場面で、並の人がもち得ないような情報を収集することができる。

いまの人は五感を意識することはほとんどない。それどころか、それにかわるものに委ねてしまっている。これはある意味でチャンスだ。

もし、「自分には人よりすぐれた能力が備わっていない」と悩んでいるなら、五感を徹底して磨いてみてはどうか。情報社会では、人より一歩先へ行く情報を手に入れた者が勝ちを制する。五感磨きは大きな穴場ではないか。

「しゃべり方」一つであなたの値打ちが変わる

若い編集者に接していて感じることだが、最近の若い人の話し方は、ボソボソ声の人が多いように思う。青年らしいハキハキした感じがないのだ。

ふだん見逃しがちだが、声の調子は相手に大きな影響を与える。若い者は、ハキハキ答えるだけで、よい印象をもってもらえる。特別の才能がなくても、声の調子一つで好感をもってもらえるなら、これは大きな武器になると思う。

昔、ある新聞社が「一流企業の電話応対を採点する」というアンケート調査を行なったことがある。その結果、銀行、デパートはトップクラスの成績を収めたが、製造業などはそうでもなかったという。一般のお客にじかに接していない鉄鋼メーカーなどの電話応対は、たしかによいものではなかったと記憶している。

しゃべり方の訓練には、発声とかアクセント、イントネーション（抑揚）があるが、ほかにアーティキュレーションというのがある。これは、いわば歯切れのよさで、相手に大きなインパクトを与える。俳優のセリフ修業では、重要項目になっているらしい。人の心理や感情に微妙な影響を与えるからだ。

ぞんざいな口調であれ、ていねいな口調であれ、歯切れよくものをいう人は、はっきりした印象を相手に与える。新人社員の電話での応対に関して、先輩たちがやかましくいうのも、実はアーティキュレーションの問題だ。ハキハキ応対してもらわないと、会社としては困るのだ。

また、電話でセールスするとき「笑顔を忘れるな」というのも、電話が声を通して、その人の感情や態度を伝えてしまうからだ。言葉だけでは、意思の六割しか通じないというが、私は電話の声を聞いただけで相手の心理状態からその人の性格までだいたいわかる。

依頼やお礼の電話をしている人が、深々とお辞儀しているのをよく見かけるが、あれが電話のかけ方としては正しい。椅子にだらしなく腰掛けていたり、頬杖をついていてハキハキした声は出せない。そういう態度は必ず相手に伝わってしまうのだ。

「相手が話しているのを耳を澄まして聴くと、その人の『言葉を運んでいる音楽』も聞こえてくる。誰でも声帯という自分だけの楽器を使って音楽を演奏している。その演奏は生き生きした楽しい音だろうか。元気のない悲しい音だろうか。人の声の響きには、それを作り出す人の実態や気持ちが映し出される」

こういっているのは、負けないことで有名なアメリカの弁護士ゲーリー・スペンス氏だ。弁論が大きなウエイトをしめる法廷弁護士は、声の調子にもすごく神経を使っているというわけだ。最近は政治家でも、心を打つような演説のできる人が少ない。どうせ政策なんか似たり寄ったりなのだから、こちらの勉強をしたほうがいいのではないか。

そういえば、歴史に名をとどめるリンカーン大統領のゲティスバーグ演説。あれを文章で読むと立派なものだが、実際に聴いた聴衆には、ぜんぜんウケなかったという。リンカーン大統領も演説はあまり得意ではなかったとみえる。

「色の白いは七難隠す」というが、声の響きもバカにできない。「いくら言葉でうまく飾っても、言葉の響きが悪ければ私の心は動かない。私の心が動かなければ、どうして他人の心を動かせよう」とスペンス氏はいう。

仕事のスキルはもちろん大切だが、自分のしゃべり方、とくに声の響きについて、もっと考えてみよう。言葉そのものにはそれぞれ個性があっていい。関西弁も味があるし、東京弁の歯切れのよさも大きな魅力だが、声の響きにもう少し気を配ると、あなたはライバルに一歩差をつけられるかもしれない。

いまできることを先延ばしにしない

私も覚えがあるが、二十代はタカをくくれる年代だ。「まだ時間はたっぷりある」と確信しているからだ。それで、いまできることでも「あとでいい」「暇になったら」「余裕ができたら」と、次々と先送りしてしまう。

だが、光陰矢のごとし。時間というのはあっという間にたってしまい、「あのとき、どうしてやっておかなかったのか」と後悔する羽目になる。だから、できることは、どんなことも、いますぐ始めることだ。準備が整わないとできないことなら、すぐ準備にとりかかれ。

どうすれば先へ延ばさないですむか。何も考えないで、まずやってみるしかない。やって、やって、やり抜いて、やることを習慣にするのが一番だ。習慣にしてしまえば、どんなことでも苦ではなくなる。

昔の人が働き者で、どんなつらそうに見えることでも、先へ延ばすことなく、すぐにやれたのは、初めに無理やりやらされているうちに、すぐやることが習慣になって身についたからだ。

恵まれた時代は無理やりやらされることが少ない。これがよくないのである。

無理やりやらされるのは誰も好まない。だから意識して自分から始める習慣をつくるしかない。歳月は人を待ってくれないのだ。

ところで、人はなぜ先延ばしをするのだろうか。

①怠け者である
②優先順位がつけられない
③完璧主義

こんなところだろう。人間はみんな怠け心がある。いまやれることも「面倒くさい」と思うことがある。とくに仕事は楽しくないという感覚をもっている人が多いから、延ばせるだけ延ばそうとする。だが、これは考え方を逆にしなければいけない。

怠けたいなら、早く片づけてしまうことだ。そのほうが楽なのである。あとでやるのは、それだけ条件がきつくなる。勤勉な人はそう考えている。決して働き者なのではなく、早く楽をしたいからさっさとやってしまうのである。

優先順位がつけられないのは、自分の目的が明確ではないからだ。立場がわかっていない。自分に与えられた仕事は、片づければまた仕事がくる。それが自身を伸ばす。にもかかわらず、仕事はこないほうがいいと思っている者がけっこういる。

完璧主義というのは、「まだ準備ができていない」とか「時期ではない」などとすぐにいい出す。本気で完璧にやりたいのだ。しかし、完璧などしょせん無理だから、延ばして、延ばして、結局はやらないで終わる。さもなくば、すごくいい加減に片づける。

先延ばしをする人たちにいいたいのは、「人生では、どんなことも寸暇《すんか》を割《さ》いてやらないと何もできない」ということだ。音楽が好きで「コンサートへ行きたい」とつねづね思っている。それでも行かないのは寸暇を割くという発想がないからだ。寸暇を割かないと、サラリーマンなど何もできない。家と会社の往復しかなくなる。若いうちからそんな単純な行動をしてはいけない。

「仕事は、それに使える時間があるだけ膨張する」(パーキンソン)

やる気が出ないときどうするか？

「なぜか、やる気にならないんです」

若い人で、よくこんなことをいう人がいる。私などは「贅沢《ぜいたく》いってるな」と思ってしまうが、本人は深刻なようだから、やる気について考えてみることにする。

なぜ、やる気にならないか。

「楽しくない」というのが一番大きい理由だと思う。したがって、行動的な人間になるには、いつも楽しく前向きに仕事をするクセをつけることだ。

たとえ、やらされた仕事であっても、受身に考えない。受身に考えると楽しくなくなる。

ローマの哲人皇帝マルクス・アウレリウスが、何かするときの心構えについて、非常にうまいことをいっている。

「イヤイヤするな」

これはいい忠告だ。勉強もイヤイヤすると、まったく面白くない。子供のときは、その辺のことがよくわからず、「勉強はつまんない」と思っている。だが、大人になると、勉強の面白さがわかる。

仕事も同じである。はじめは「こんなことつまらない」と思って始めるから、少しも楽しくない。でも、繰り返し続けてみて、一定の成果を上げられるようになると、面白さがわかってくる。そうすると俄然《がぜん》、楽しくなるのだ。

「仕事をしなさい」といわれて「いやだな」と思うのは、仕事そのものがつらいのではなく、仕事の楽しさを知らないことが多い。傍から見ていて、「よくあんなつまらないことが嬉々としてできるな」と思うことがあるが、懸命にやっている人間は、必ず楽しさを見つけているものだ。

やる気が起きないというのは、やる気に相談するからだ。やる気はめったなことでは、「やろう」とはいわない。だからやる気に相談しているかぎり、人は行動的にはなれない。何も考えずにやっていると、自然とクセになる。そうすればやる気に相談しなくても体が動くようになる。

それからもう一つ、やる気を削《そ》ぐことがある。それは他人からの否定的な言葉だ。「そんなことやってもムダだ」

「失敗するよ」

こういう言葉には、なるべく耳を貸さないことだ。

アメリカの実業家にウールワースという人がいる。いまの百円ショップのような業態を初めてつくった人だ。そのアイデアを思いついたとき、みんなに「やめとけ」といわれた。実際に始めても失敗続きだった。だが、彼はやる気を失うことなく、出店しつづけた。

なぜか。他人のいうことに納得がいかなかったからだ。だから周囲のいうことに耳を貸さなかった。そしてついに一千店を超える巨大チェーン網を築くのに成功した。

他人の忠告のすべてが役に立たないのではない。ただ、他人のいうことには限界がある。いつも常識の範囲を出ない。それでいて人のやる気だけはいちじるしく削ぐ。新しいことを考えたときは、むしろ他人の否定的な言葉を励ましととらえたほうがいい。これがやる気を失わないコツかもしれない。

目標に期限を設けよう

人間は目標指向型の動物である。何か達成したい目標があれば、一生懸命に努力する。だが、目標が達成されると何もしなくなる。

日本に野球人口がこれだけいるのは、プロ野球の前に甲子園という目標があるからだ。もし、高校野球の甲子園がなかったら、野球人口は大幅に減ってしまうだろう。

人間は目標をもっていないと、知らず知らずにいい加減になっていく。「楽をしたい」「怠けたい」という気持ちが強いからだ。いま、あなたがビジネスパーソンとして毎日が退屈だったり、忙しい仕事がつらいならば、自分の目標をつくってみるといい。

目標をつくるとき、絶対にしなければならない大切なことが二つある。一つは、どんな目標であれ、頭で考えるだけでなく、紙に書き出すことだ。手帳に書いてもいいし、部屋に大書した紙を貼っておくのでもいい。とにかく書き出すことである。

もう一つは、期限を設けること。どんな目標であれ、「いついつまでに」と決めるのだ。

目標とは実現するためのものだから、当然、「いつ」が出てくる。これなしにどんな目標をつくっても、それは目標とは呼べない。

まだある。今度は目標の内容だ。たとえば、いまあなたが会社の一ヒラ社員であったとして、当面、「いついつまでに課長になる」という目標を立てたとする。それでもいいが、できたら、目標は少し背伸びしたものであってほしい。そのほうが、元気が出るからだ。

具体的な目標ができると、大きな変化が生じるはずだ。あなたにはこういう経験はないだろうか。街を歩いていて、食事をしようと思うと、急に食堂やレストランが目に入ってくるようになる。

人間の目というのは、不要なものは無視し、必要なものは取り込むようにできている。目標をもてば、その目標達成に必要なことが次々わかってくるようになる。昨日までは、なるべく避けていた上司を飲みに誘って、会社の現状と将来について語り合いたくなるかもしれない。とにかく、サラリーマン生活が楽しくなるはずだ。

目標設定ということがいかに大事かは、イギリスの思想家カーライルの次の言葉を知れば納得がいくはずだ。

「目的がないくらいなら、たとえ邪悪な目的でもあったほうがいい」

いかがであろうか。これほど人生で目標の設定は重要なことなのだ。会社でもそうだ。会社は必ず目標をもって運営されている。目的が決まると、何をやればいいかはっきりしてくる。それを社員に分割して、それぞれが自分に課せられた役割を果たす。そうやって目標を達成している。

個人の目標も同じだ。目標と現在を比べて、何をやればいいかを考えていけば、今日は何をやればいいか、明日は何をすべきかまでわかってくるのだ。

4章

《社会人としての人間関係術》

絶対覚えておきたい「大人」のルール。

なぜ大人はマナーにうるさいのか

若い人が会社に入って、最初にうんざりするのは、たぶんマナーのことだろう。

「ネクタイ曲がっているから直せ」

「靴、ちゃんと磨いてこい」

訪問先に先輩と一緒に行くときなど、まるで口やかましい母親のような注意を受けるかもしれない。

入社まもない新人研修では、お辞儀の仕方から、名刺の出し方、お茶の出し方まで、みっちり仕込まれることだろう。また、言葉遣いについても、こまごました注意をされると思う。いままでタメ口ですんでいた若者たちは、強いストレスを感じるに違いない。

だが、社会人になったら、マナーを軽く考えてはダメだ。社会人の第一歩はマナー、つまり礼儀作法から始まるといってよいからだ。「処世の大本は礼節を守るところにあり」という昔からの言葉は、いまも生きている。

ここで一つ質問をしてみよう。二〇一〇年のバンクーバー冬季五輪で、スノーボード日本代表の国母和宏選手の服装と態度をめぐって、論争があった。あの問題に関して、あなたはどう考えるか。

A．あのような着崩した服装、あのような反抗的態度はよくない

B．目くじらを立てるような問題ではない

マスコミではA、B両論あって、結論には達しなかった。私はもちろんAである。国母選手は明らかにマナー違反をしたからだ。国母選手を擁護した人たちは、マナーを無視して彼の才能のほうを買った。

それはそれでよい。人それぞれの考えだからだ。だが、ビジネスの世界でそれが通じるかというと、通じないことのほうが多い。この冷厳なる現実を、しっかりと頭に刻み込んでおく必要がある。

マナーを守らなければならないのは、マナーをきちんと守らないと、ビジネスゲームの入り口で失格してしまう恐れがあるからだ。どんなゲームも参加しなければ結果は出せな

い。仕事の能力がいくらあっても、舞台に立てなければ実力を発揮しようがない。

マナーの受け止め方には個人差があるから、絶対とはいい切れないが、多くの場合マナーは重視される。だからビジネスの世界に入ったら、失格しないためのルールを、どうしても覚えておかなければならないのだ。

江戸末期の儒学者佐久間象山《しょうざん》に次の逸話がある。

砲術を学びたい若き象山は主君松代藩主に紹介状を書いてもらい、江戸の砲術家江川太郎左衛門の屋敷を訪ねた。奥座敷に通されて待っていると、太郎左衛門が姿を現わした。象山は感激のあまり、そのとき礼を失した。

下座《しもざ》で礼をすることなく、いきなり太郎左衛門ににじり寄って、弟子にしてほしいと懇願したのだ。怒った太郎左衛門は、サッと立ち上がると部屋を出て行ったきり、二度と戻ってこなかった。

象山はあとから丁重な詫びを入れて、弟子にしてもらえたが、太郎左衛門に寛容な心がなければ、一生の不覚をとるところだった。あなたたちだって、口の利き方一つで、大きな商談をフイにするかもしれない。

スポーツであれ、遊びであれ、ゲームに参加するには、それなりのマナーを求められる。

マナーを守らなければ、仲間に入れてもらえない。ビジネスも同じである。先輩たちがマナーにうるさいのは、ビジネスの入り口で「入場お断り」といわれては困るからなのだ。それ以外に他意はない。そう思って謙虚に学ぶ姿勢をもってもらいたい。

「人生はいつも礼儀を守る余裕のないほど短くはない」（エマーソン）

これだけは知っておきたい言葉遣いと敬語

言葉遣いは一人の人間として、社会に認めてもらうための基本中の基本である。

ところが、最近は言葉が乱れまくっている。とくに若い人たちに、正しい日本語が使えない人が多く見られる。話し方の本が売れているのも、そのせいだろう。

たとえば、まじめそうな好青年なのに、言葉遣いがおかしい。気をつけて聞いていると、どうも敬語がうまく使えない。本人もそのことを意識しているらしく、だから寡黙で、態度もぎこちない。こんなふうでは、ビジネスパーソンとしては使いものにならない。

そこで、以下にビジネスパーソンとしての言葉遣いの要点をざっと述べておこう。

①ビジネス言葉の基本は「ですます調」である

文章の書き方には、「ですます調」と「である調」がある。しかし、ビジネスの世界での言葉遣いは、どんな場合も「ですます調」である。

たとえば、自社の課長を訪ねて来客があった。そのとき「おりませんね」「いないみたい」などという言葉の使い方はない。周囲が耳にしたら「何だ、あいつは！」と言葉遣いだけで評価が下がる。「ただいま外出中です」「席を外しております」という言い方をしなければならない。

②自分は「わたし」もしくは「わたくし」が基本

客先で自分のことを話すときは、「わたし」「わたくし」が基本となる。職場でも基本は同じである。「ぼく」という呼び方は、絶対に使ってはいけないわけではないが、ぞんざいな言い方であることは心得ておくべきだ。

たとえば、年齢や役職が上の者が「ぼく」といったとする。そのとき、こちらも「ぼく」といったら失礼に当たる。向こうは上だから、ぞんざいな言い方が許されるのであって、下の人間は、あくまで「わたし」「わたくし」でなければいけない。どんな場合も「わたし」「わたくし」で通せば間違いはない。

③「お」「ご」は乱用しない

「お体を大切に」「ご機嫌いかがですか」というように、「お」と「ご」をつけると尊敬語になる。しかし、何でもつければいいというものではない。下手につけると逆効果になる。「あとでお電話します」なんかは適切とはいえない。

「お」と「ご」のつけ方には二つの法則がある。一つは相手の動作や物、人物につける場合である。「お出かけ」「お車」「お子様」がそうだ。

もう一つは自分の動作であるが、これは相手のためである場合に使う。「お持ちしましょう」「お待ちしております」「お送りいたします」。

この使い方を混同すると「わたしのお仕事」とか「わたしが召し上がる」ことになったりする。これらの用法は、理屈で覚えるよりも、何度も繰り返し使って、そらで反射的にいえるようにしたい。

④語尾を改めるとていねい語になる

ていねいな言い方は語尾を変化させるとできる。たとえば「部長、いらっしゃいますか」と客が訪ねてきたとき、「ただいま、会議中でございます。二十分くらいで戻ると思いますが、いかがいたしましょうか」というのがていねい語。その語尾変化は次のようなものである。

・「だ」「よ」→「です」「ます」
・「です」→「ございます」
・「する」→「いたします」
・「行く」→「伺います」

ほかにもいろいろあるが、以上は基本中の基本として、習得していただきたい。言葉遣いは、言葉の交通ルールのようなもの。人間関係の基本をなすものだ。面倒くさかろうと何だろうと、絶対に覚えなくてはいけないことである。

言い訳をしないこと

日本人の文化の中には「謝る」ということが深く根づいている。

他国にはあまり見られない文化なので、外国人が相手のときは、簡単に謝らないほうがいいが、日本人同士の場合は、ビジネスでも個人的な関係でも、謝るときはさっさと謝るのが、もっとも無難な方法といえる。

日本人は、謝られるのに弱い。「ごめんなさい」といってしまうと、その先を追及できなくなるところがある。

逆に謝らないと怒りが持続する。ビジネス上のミスをしたようなときに大切なことは、まず何より先に「間違いをしました。申し訳ありません」と謝ることだ。

若い人は、これがなかなかできない。仕事上で起きる失態というのは、それほど単純ではないからだ。自分の落ち度ではないのに、たまたま自分がそこに居合わせたために、叱責されたり、責任を追及されるようなことも起きる。

そういうときは「ちょっと待ってください。それは実はこういうわけで……」と、説明したくなるのも当然である。

だが、相手が怒っているようなとき、そういうやり方は得策ではない。なぜかというと怒りの火に油を注ぐだけだからだ。そんなときでも、とりあえず謝る。そして、相手が少し冷静になったら、「実は、あの件は……」と説明すればいい。

徳川二代将軍秀忠の時代のことである。江戸城内で大規模な能楽の会が催された。その席に仙台藩主の伊達政宗がいた。政宗は幕間に手洗いに立った際、後方に座っていた旗本の兼松正吉の袴の裾を踏んづけてしまった。それも行きと帰りで二度も踏んだものだから、もともと怒りっぽい気性だった正吉の堪忍袋の緒が切れた。

「無礼者め。田舎大名ゆえと一度は許したが、二度とは黙って見逃すわけにはいかぬ！」

正吉はいきなり立ち上がると、もっていた扇子で政宗の肩を打った。

居合わせた大名たちは凍りついた。さあ、大変だ。いかに将軍御目見えとはいえ、正吉は石高千五百石の小旗本、片や政宗は六十万石の大大名なのである。

このとき、政宗はどうふるまったか。

「気づかぬこととはいえ、失礼仕《つかまつ》った。これ、この通りお詫びする」

そういって正吉に頭を下げた。

この意外な展開に正吉も怒りを収め、大事になることはなかった。

政宗にも言い分はあった。一つは政宗が独眼《どくがん》だったこと。片目が不自由なため、よく見えなかったのだ。もう一つは、正吉が必要以上に袴を広げて座っていたからだ。相手にも悪いところがあったのだ。だが、政宗はいっさい言い訳めいたことはいわずに、即座に謝った。

「さすが伊達殿、器が大きい」

この一件で男を上げたのは政宗のほうで、正吉は狭量な自分を恥じたという。

大きい器の人物ほど、自分が間違ったときには、さっさと謝罪するものだ。

器の小さい者は、なぜか謝るのをよしとしない。我《が》を張る。これはたぶん自分に自信がないからだろう。自信がない人間は、謝るという行為によって、自分がますます不利な立場に追い込まれると思ってしまうのだ。

だが謝罪は、謝った人間を不利にしない。むしろ、大きなメリットがあるのだ。

それは何か。

謝ることで、少なくとも心理的に、失態をチャラにできることである。ミスをしたら、何はともあれ、まず謝ってしまおう。言い訳をしないことだ。

若いときはトライ・アンド・エラーで何でもやってみることだが、行動すればミスもある。何もしなければミスもないが、やってミスするほうが若者らしくていい。周囲もそのほうが温かい目で見てくれるはずだ。

就職したら親元から離れて自活しよう

引きこもりの三十歳になる男性が、インターネット契約を親に無断で解約されたことに腹を立て、一家を殺傷するという事件があった。

三十歳にもなって、なぜ働かないのか。働いて自立していれば、こんな事件は起きようもない。子供に対する親の甘さが原因だと私は思った。

この男性が、インターネットがそれほど好きなら、インターネットで稼げばいい。とにかく二十歳を過ぎたら、親は子供を家から放り出し、自活させなければダメだ。

また、親が甘い人間で、子供にそういう態度がとれないのなら、子供のほうから出て行かなければいけない。

「でも、給料が安くて、とても自活できないんです」

私の周りにも、そういって一人前になりながら、親と一緒に住んでいる男がいる。こういう若者は、私がいう意味がわかっていない。

給料が安いから……というのは、いまの生活レベルを前提として、それを維持しようとするからだろう。私は、それがおかしいといっているのだ。

大人になるということは、自分の稼ぎで食べるということなのだ。自分の稼ぎで食べ、やがて結婚して一家を構える。そうしたら、今度は自分の稼ぎで一家を支える。それができて初めて、社会人として一人前といえる。

動物の世界を見てみればいい。幼いうちは親が命を賭しても外敵から守ってやるが、育ち上がると、冷酷に突き放す。「自分でエサをとって生きなさい」ということだ。この自然界の掟《おきて》は人間も守らなければいけないと思う。

東京杉並区にある和田中学校で、校長先生が自ら教壇に立って「よのなか（世の中）科」の授業をしている風景をテレビでやっていた。その日は「大学生の就職難をどう思うか」というテーマだった。しばらく見ていて、後続世代の彼らが意外に頼もしいことを知って少し安心した。

大学生がなぜ就職できないのか。その理由について彼らはこう答えていた。

「不景気で企業が採用人数を減らしているから」

「大学生が選り好みをして贅沢をいっているから」

「学校を出ても働きたくないという人もいる」

「礼儀を知らなかったり、知識がなかったりする人がいるから」

マスコミでは、不景気や雇用問題などのせいにする意見が多い中、中学生の見方の何と正鵠《せいこく》を射ていることか。そして「しばらく暗い世の中が続くと思うけど、君たちは、これからどうしたらいいと思う?」というアナウンサーの質問に対して、

「先輩たちの失敗を繰り返さないようにしたい」

と答えていた。ほとんど完璧ではないか。いまの中学三年生が何世代なのか、私はよく知らないが、日本もそう捨てたものではないという気がしてきた。だが、こういう生徒たちを生み出した功績は、「よのなか科」という特別授業を実行した学校にあるだろう。

話がそれてしまったが、一人暮らしで大切なのは、多い少ないにかかわらず、毎月の収入の中でやりくりすることである。もし生活できなくても、親の仕送りは受けてはいけない。足りなければ、足りないなりに過ごすか、バイトでもして稼ぐ。それが自活ということだ。自活こそが社会人のイロハを覚える最良の機会であることを知ってほしい。

親離れのすすめ

就職したら、中身はどうあれ、社会人として一人前とみなされる。動物たちが例外なくそうしているように、人間も親離れをして、一人で生きていく覚悟をしなければならない。

ところが、昨今はこれができない若者が多い。就職しても、親元から離れない。これは決していいことではないのだ。

どうよくないかといえば、当人の成長を阻害するからだ。個人の生活環境は、仕事そのものとは直接関係がないと思われるかもしれないが、それは間違っている。恵まれすぎた環境は、仕事のはしばしにツメの甘さになって現われてくる。

親がかりでのうのうと生活しながら、きびしいビジネス世界でのし上がっていくことなど、とうていできるものではない。自分を成長させたいと思うなら、一丁前のビジネスパーソンになりたいなら、まず自立した生活を始めなければならない。

しかし、個人の事情ということもあるだろう。たとえば、三人きょうだいの末っ子で、すでに上の二人は自立して家を出ている。そうなると、親のほうが「せめて結婚するまででいいから、私たちと暮らしておくれ」というかもしれない。

親の願いを聞いてあげるのも親孝行の一つだから、こういう場合は仕方がない。だが、そういう人は、もらった給料の中から一定額を、家賃、食費、洗濯代などとして、支払う義務がある。それが親元で暮らすときの最低条件だ。

そうやって、親との距離を少しずつ離していくのがいい。人間関係というのは、両者の距離で測れるものである。生まれたての母子は距離がゼロである。養育期の親と子の距離も、ほとんどないも同然である。

しかし、成長するにつれて、親子の距離は離れていかなければならない。そうでなければ、子供は独立できない。二十歳を過ぎても、三十歳、四十歳になっても、親元から離れない子供は、社会から一人前と認められない。はっきりいって落ちこぼれだ。

落ちこぼれになりたくなければ、子供は自分から親との距離を広げていくしかない。その最大の機会が就職だ。にもかかわらず、親の要請で一つ屋根の下に暮らすとしたら、せめて一定額のお金を親に渡すことで、距離をつくるしかない。

親子関係で忘れていけないことは、いつまでも同じ距離であってはならないということだ。いずれは死別によって遠く離れてしまう間柄なのだから、成長するにつれて、だんだん距離を遠ざけていくのが自然なのである。

動物はそれを一気にやるが、人間は徐々に始めればいい。しかし、これは絶対にしなければいけない儀式だ。もし怠るとしたら、子供は生まれてきた意味がなくなってしまう。親離れというのは、それくらい重要なことなのだ。

その意味では、成長するにつれて不仲になる親子関係は、それほど悪いものではない。恋人のできた息子が、それまでべったりだった母親と距離を置くようになる。それによって両者の関係がまずくなる。こういう親子の変化は自然の摂理《せつり》かもしれない。

ともあれ、子供は成長するのと並行して、親との距離を広げていく必要がある。それなくして、子の真の自立はないといっていい。だが、こうした親子の真の間柄を、わかっていない親も少なくない。

「親であることは一つの重要な職業だ。しかし、いまだかつて、子供のために、この職業の適性検査が行われたことはない」（イギリスの劇作家／バーナード・ショー）。この先も適性検査がはじまる見込みはないから、子供のほうから親離れするしかないのだ。

クレジットカードをもたない生き方

金銭感覚は、人生を生きていくうえで非常に大切なことだ。二十代のうちに正しい金銭感覚を早く身につけておいたほうがいい。

なぜかというと、この時期にお金とどうつきあうかで、生涯のお金とのつきあい方がほとんど決定されてしまうからだ。

未成年のときは親がかりで、自分のお金ではないから、どんな使い方でも、まだその人の本当の姿は表われていない。だが、社会に出て自分で働き自活するようになると、いよいよ金銭感覚の個性が発揮されるようになる。それが適切か不適切かで、生涯のお金の苦労度が決まってくる。

お金に関しては、倹約型と浪費型、その中間の三通りあるが、ほかのことでは大胆な人でも、お金に関しては、地味で慎重なほうがいい。なぜならお金は数字であり、計算ではっきり結果の読めることだからである。

二十代でまず身につけておくべきことは、収入内で暮らすという習慣である。たとえば月給手取り二十万円なら、その範囲内で一カ月暮らす。もし、赤字になるようだったら、生活レベルを下げることである。

いま、会社員なら比較的容易に借金ができる。モノを購入するのでも、クレジットカードで手に入れられるので、ついつい生活全体が収入を上回ることになりがちだ。それもある程度は仕方がないが、私の本音をいえば、高い買い物の場合は、貯めてから買うようにしたほうがいい。

たとえば車などがそうだ。若者が車を買うのはほとんどローンだ。それが当たり前になっているが、貯めてから買ったほうが、はるかに堅実。それができる人なら、正常な金銭感覚の持ち主といっていいだろう。

最近の若者は、貯蓄好きな人が増えているというが、全体を見ればクレジットで購入している人がまだまだ多いはずだ。これを改めるだけで、シビアな金銭感覚が身につくはずだから、ぜひ試してみていただきたい。

一方で、あまりにお金を貯めるだけでは将来が心配になる。やはり稼ぎの範囲内で、贅沢も経験しなければならない。節約、節約ではストレスがたまって病気になることだってある。病気になって医療費をかけるのなら、その分を贅沢に使ったほうがいい。
また一定額を自分に投資することも忘れてはいけない。これは、自己啓発セミナーなどに高い金額を使えということではない。趣味でも遊びでもいい。自分が好きなこと、ためになることに使うのは、すべて自己への投資だ。
まあ、こんなことは、いまの二十代は先刻承知していることだと思うので、私がくどくどいうかわりに、古今の賢人の金銭感覚をいくつか紹介しておこう。
「倹約――自他にとって無益なことに金銭を使うな。浪費をつつしめ」（アメリカの政治家／フランクリン）
「金はよい召使いだが、場合により悪い主人にもなる」（イギリスの哲学者／ベーコン）
「金は第六感のようなものである。それがなければ、他の五感を完全に働かせることはできない」（イギリスの作家／モーム）

「金は魔物」――お金の賢い使い方・貯め方

お金との距離のとり方を知るには、次の言葉が参考になる。

「金を浪費したり、貯蓄する者は、もっとも幸せな人々である。というのは、両者ともそのことを楽しんでいるからである」（イギリスの作家／サムエル・ジョンソン）

お金に関しては、昔からいろいろなことがいわれてきたが、どんな接し方が絶対に正しいという定説はない。私はこのジョンソンの言葉が、誰にでも通用する寛容・賢明でバランスのとれた考え方だと思う。

お金に関する考え方は、大きく二つに大別される。

一つは「お金は命の次に大切だから、できるだけ倹約して貯金をしておけ」という堅実貯蓄型。

もう一つは「死んであの世にもっていけるものでもなし。あるなら使えばいい」という浪費奨励型。

二十代はどんな考え方で臨めばいいのだろうか。最近の二十代は堅実貯蓄型が増えているという。「貯めるのが楽しい」のであれば、それを続ければいいと思う。貯まって困るものではないからだ。

ただ、若いのだから、少しは消費にも使うべきだ。

いまの世の中はお金がないとできないことがほとんどだ。だからお金を使うのは何も浪費とはかぎらない。使うことが適切なことだっていっぱいある。自分が適切だと思うことに、使うのも必要なことだ。

金持ちであるなしにかかわらず、多額のお金を使った経験のある人間は、使わない人間とどこか違う。人間としての深みがあるものだ。「金は魔物」というが、使う人間によってその魔力は、よいほうにも悪いほうにも転ぶようだ。

一番つまらないのは、無目的にただ貯め込むようなケース。たとえば、まだ二十代なのに、「国もアテにならない。人もアテにならない。頼りになるのは金だけだ」と、ひたすら貯め込むような若者たちに私は共感できない。

以前に、こんな話が新聞に載った。長く勤め、コツコツ貯め込んだ八十代の老人がいた。貯めた金額は数億円。彼はそのお金を自宅の庭の木の根元に埋めておいた。毎日の楽しみはその庭を散歩することだった。

ある日、散歩に出てみると、庭木の根元が掘り起こされ、お金は消えていた。彼は警察に届けて数カ月後に病気で死んだ。

あなたは、こういう人生をどう思うか。「使ったほうがよかった」と思う人が多いだろうが、貯める楽しみを味わいつくして死んだのだから、本人にとってはいい生涯だったかもしれない。ものは考えようだ。

彼だって、結末がこうなるとわかっていたら、きっと使っただろう。だが、人生は先のことなど、どうなるかもわからない。だから面白いのだ。

いまの若者が、倹約して貯めるのはよいことだ。一方、若いときは、いろいろやりたいこともあるだろう。そのためにお金を使うのは決して浪費ではない。使うことで楽しめる人生、味わえる人生もある。いまの日本は不景気とはいえ、世界の中では豊かな国なのだから、使う楽しみも味わったほうがいい。

お金を使うことは、お金を世の中に循環させることだから、使うだけで世の中に貢献できる。世のため、人のために役立って、しかも自分も使う楽しみを味わえるのだから、浪費奨励型の生き方も捨てたものではない。個人的には、こちらのほうをおすすめする。

庭に埋めて盗まれた老人は、自分は楽しかったかもしれないが、その貯め方は「死蔵」だから、世のためにはなっていない。ある意味、盗まれて初めてお金は生き金になった。

結局、お金に対する若い世代の姿勢は、ドイツの詩人ブロックスが遺した次の格言に当てはまらないようにすることだろう。これくらいつまらない生き方はないからだ。

「愚か者は、金を持って死んでいくために貧乏で暮らす」

恋愛に消極的にならない

近頃の若者たち、とくに男は恋愛に消極的だと聞く。どんなことも消極的な態度では、縁がどんどん薄くなる。そのことを知っているのだろうか。

なぜ消極的なのかというと、「アプローチしてフラれるのはいやだ」というのが、最大の理由らしい。これが私には解《げ》せない。というより、「恋愛」というものが、まるでわかっていないと思うのだ。

恋愛とはフラれることである——こういったのは、作詞家の阿久悠さんだ。

「失恋と得恋との比率は、どう考えても九対一である。だが、その不幸な九の中に想い出があったり、魂の輝きがあったり、自己の成長があったりするのである」

まったく、その通りだ。女性に興味がなくてアプローチしないとか、あるいは別のことに忙しいため、その暇がないというなら仕方がないが、「フラれるのがいや」というのは、私にいわせれば、野球選手が「三振するのがいやだから、バッターボックスに立ちたくない」といって甘えているようなものだ。

そんな野球選手がいたら「やめてしまえ」といわれるだろう。同じように、そんなことをいうのなら「男をやめてしまえ」といいたくなる。

好きになったので声をかけてみる。しかし、フラれてしまった。がっかりする。そして反省。「どこがいけなかったのだろうか」と考える。またアプローチする。またフラれる。

この繰り返し作業は、ほかのことでも同じだ。誰かを好きになって「好きだ」と告白して、ストレートに恋を得るなど、奇跡的なことではないか。未経験の者が何かをやりはじめれば、最初はうまくいくはずがないことは、誰でも知っている。だから反省し、研究し、努力もする。どうして恋愛だけは、百発百中でなければいけないのか。

こういう話がある。ある評論家が自分の講演会で、最前列で聴いていた女性に一目ぼれした。彼は講演会が終わると、懇談会と称して彼女を含めた数人の男女と話す機会を設けることで、彼女に近づいた。

それから毎日電話をかけ、手紙を送り、誕生日には花束を贈った。この積極的な行動が彼女の心を動かし、評論家は恋の勝利者になった。著名人だって、一つの恋を成就するためには、これだけの努力をしているのである。

この戦略は、先にも述べた「単純接触の原理」を地でいったものだが、こんな努力をしても阿久悠さんがいう通り、得恋確率は「九対一」なのだ。恋愛に消極的な者は、いったいどれだけの努力をしたというのだろうか。

失敗論では「失敗すればするほど成功に近づく」という。船で目的地へ向かって進んでいるとき、航路から外れたことに気づく。これは一つの失敗だ。だが、その失敗があるからこそ修正ができ、再び目的地へと向かえる。失敗するたびに目的地へと近づいていく。

フラれるのも同じだ。一回フラれ、二回フラれ、三回フラれ……仮に、二十回フラれたとする。では、その努力は徒労に終わるのだろうか。そんなことはない。一回フラれるたびに、男は確実に輝きを増してくる。モテ男とはフラれる経験を山ほど積んだ男たちだ。

フラれるのがいやで恋愛に消極的な男とは、初めて買った宝くじで一億円を当てなくてはいやだ、と駄々をこねているようなものだ。そんな子供じみた考えは捨てて、詩人テニスンの次の言葉を信じ、いますぐ行動を開始せよ。

「恋をして恋を失ったほうが、一度も恋をしなかったよりもましである」

自分なりの結婚観を早く確立しよう

シュンペーターという経済学者が、「二十代は勉強して実力をつける時代だから、三十歳になるまでは結婚しないほうがいい」といっている。

この考え方には一理ある。結婚は就職と並んで人生の大きな節目だから、二つも大きな決断を同時期にしてしまうと、どちらもうまくいかなくなる恐れがある。それを心配しての忠告だろう。

だが私は、結婚は二十代でも三十代でもかまわないと思っている。ただ、その前に「自分の結婚観」は確立しておいたほうがいい。いまのような価値観の多様化した時代は、自分の考えをもち、頑固に変えないでいれば、同調する人間がきっと現われる。

男性も女性も、自分の結婚観に合った相手と結婚すればいい。それなら、すぐに「失敗した」「別れる」などという問題を引き起こさないですむはず。ところが、多くの若い男女は、自分の結婚観をもたず、世間ではやる結婚観に合わせようとする。それが結婚の失敗につながっているのだと思う。

二十年、三十年前は、夫は外で働き、妻は家庭を守るというのがふつうだった。外で稼ぐ夫と、家事から育児までやらされる妻と、どちらが得かという議論も当然あったが、一方で所得の増加、家電の普及などで家事労働は楽になっていったから、それなりに両者とも満足していた。

ところが、女性の社会進出がさかんになると、事情が変わってきた。妻も夫と同じように働くのだから、夫は家事の一部を手伝わざるを得なくなった。ところが、夫のほうは長年の習性から、妻が望むようには家事に参加できない。だんだん、軋轢《あつれき》が大きくなって、離婚の増加につながった。

いまでは「結婚は割が合わないからしない」といい出す者まで現われた。結婚を、割が「合う」「合わない」で考えるのもどうかと思うが、現行の結婚制度そのものが、根本から見直される時代に入っているのはたしかなことだろう。

それを象徴するのが、母子家庭や父子家庭の増加、熟年離婚の増加、事実婚（同棲）の増加、単身世帯の増加ということであり、夫婦別姓もこの延長線上にある問題といえよう。

一見、混乱しているようだが、私には大したことでもない問題に思える。

近年は社会があまりにも急激に変化したため、結婚の仕組みに社会と合わない部分が出てきた。それだけのことではないか。一組の男女が一緒に暮らし、子を産み育てるという結婚制度の基本は少しも揺らいでいないと考える。

私の知り合いの青年は、典型的な九州男児で、「女房には働いてもらいたくない。女は結婚したら専業主婦ですよ」という古くさい結婚観の持ち主である。大した稼ぎもないのに、こういう考えだから、四十近くになるまで独身のままだった。

それが最近、世間の風向きが変わったのか、彼の望む専業主婦願望の女性が現われたようで、「近々結婚できそうです」と報告してきた。これでいいのだと思う。

男も女も、自分の思い通りの結婚観をもつことだ。そして、それをはっきりといえばいい。価値観が一致した相手と結婚すれば、結婚生活は幸せなはずだ。二十代のうちに、まずしなければいけないのは、結婚相手を見つける前に自らの結婚観をもつことである。

若年離婚は熟年離婚よりはるかにまし

知り合いの娘さんが、結婚三カ月で離婚した。

親も周囲の者もあきれていたが、若いカップルの離婚は早くてもいいと思う。「間違ったな」と思ったら、さっさと別れよ。そのほうが傷は浅くてすむ。事実、その娘さんはまもなく再婚し、子供も生まれ、いまは幸せに暮らしている。

結婚した人が離婚する確率は現在、約三割だという（厚生労働省調査）。つまり、いまは十組の結婚があれば、三組は離婚する可能性をもつ。三割という数字は、四十年前と比べて四・五倍。年齢別で見ると、男性は二十歳から二十四歳が、女性では十九歳までの年齢がもっとも多い。若いほど離婚率が高いということだ。

若いカップルに離婚が多いのは、安易な結びつきが原因であることははっきりしている。私がそれでもいいと思うのは、以前から提言している「婚前同棲説」の一環と思えばどういうことはないからである。

婚前同棲とは、結婚しようと思う相手ができたら、結婚する前に一～三カ月くらい、どちらかの住まいで一緒に暮らすことだ。デートで会っているだけではわからない相手の本性が、同棲することであらわになる。

恋人同士で会っているときは、お互いが着飾っている。いってみれば、よいところばかり見せている。だからアツアツでいられるが、一つ屋根の下で一週間、二週間も暮らすようになると、どちらも猫を被っていられなくなる。

その結果、「こんなにやさしい男はいない」と思っていたのが、とんでもないＤＶ癖をもっていたり、明るく屈託のない理想の女性に見えたのが、とんだ食わせものであったりする。本性がわかってなお愛することができるのが、ホンモノの愛であり、そういうカップルなら簡単に離婚することはないだろう。

いろいろな事情から同棲が無理なら、新婚旅行のつもりで、一週間か十日くらいのスケジュールを組んで海外旅行をするのもいい。狙いは一緒に住むのと同じ。四六時中一緒に過ごすから、やはりごまかしにも限度が出てくる。

私も独身だった頃、「結婚してもいいかな」と思う女性と海外旅行をしたことがある。そのとき、幸いにも海外で大ゲンカをして、そのまま別れた。いまでも「結婚しなくてよかった」と思っている。

最近は熟年離婚が増えている。一時ほどではなくなったが、数年前、年金分割が可能になったときは、妻からいい出す熟年離婚が社会問題になった。

熟年になってからの離婚は、双方とも打撃が大きい。子供は育ち上がっているから、身軽のように見えるが、長年連れ添ってきた重みは、それほど単純なものではない。そういうことに将来ならないためにも、若いカップルは「失敗したなあ」と思ったら、速やかに別れるほうがいい。

とはいうものの、私は何も離婚をすすめているわけではない。参考までに失敗しない結婚の法則を一つ紹介しておくと、「嫁さんの両親が大喜びをするような結婚は、離婚の確率がぐんと低い」そうである。これは、結婚式の司会を七百回以上もこなしたベテラン司会者（本職はアナウンサー）の体験的な報告である。

「日本のこと」を知らないビジネスパーソンになるな

ボクシングの国際試合では両国の国歌が演奏される。昔は観衆も一緒に斉唱したものだが、最近は演奏だけのことが多い。その演奏のとき、外国人選手は必ず、自分の国の国歌を一人で歌っている。日本人選手はほとんど歌わない。

子供の頃から、国歌を歌う習慣が身についていないのだ。日本人であっても「君が代」を歌えない場面に出合うたびに寂しい思いをする。だが、先のW杯南アフリカ大会で、日本代表は初戦から、ピッチでもベンチでも肩を組んで国家を斉唱した。いい光景だった。

個人的にいわせてもらえば、日本の国歌は歌いやすいものではない。もう少し歌いやすいものであったらな、とよく思う。だが、国歌は国歌だ。セレモニーのときは、歌うのがマナーというものだろう。

国歌のこの軽い扱いと、日本のことを知らない若者が多すぎることは、どこかでリンクしている。私は若者たちに、もっと日本のことを知ってもらいたいと思う。

もちろん、若者のせいではなく、これは戦後の教育の結果なのだが、だからこそ、社会人になった最初の十年くらいで、自分の国について一通りの知識を身につけてほしい。そうすることが、ビジネスパーソンとして不可欠だと思うからである。

それは、どういうことか。グローバル化がますます進展するからだ。グローバル化が進むと、外国人を相手にビジネスをする機会がこれからますます増えてくる。そのとき、一番必要になるのは何か。

外国語？　そんなものは二の次、三の次だ。一番必要なのは自分の国についての知識である。なぜ、自国の知識なのか。それによって、その人間の誇りを測れるからである。なぜ誇りを測るのか。多くの外国人はこう思うからだ。

「自分の国のことをろくに知らない。国に誇りをもっていないのか。自分の国に誇りをもてない奴など信用できない」

こんなふうに思われてしまうのだ。日本にいると意外に気がつかないが、よその国の人間は自分の国に強い誇りをもっている。そのプライドを傷つけたら大変なことになる。ウソだと思うなら、その国の悪口をいってみよ。血相を変えて怒るはずだ。

これは当たり前の話。自分の国を悪くいわれて平気なのは日本人くらいのものだ。まずこのことに早く気づいていただきたい。そして自分たちの国、日本のよさをもっと真摯《しんし》に学んでほしい。いまでは外国人のほうがよく知っている。

日本のよさとは何か。まず文化的に日本は世界の一級レベルにあること。それは伝統文化からモダンまで、すべてについていえる。それがどんなものかを身につけてもらいたいのだ。たとえば『源氏物語』がなぜすばらしいのか。世界最初の物語文学だからだ。それ以前に書かれた『竹取物語』はおそらく最古のＳＦ文学作品だ。

日本の服装文化もすごい。アメリカに団体旅行するとき、日本の着物と帯をたくさんもっていった人がいたが、着物も帯も彼らは美術品扱いをしたという。和食文化も世界に誇れるものだ。フランス料理や中国料理もすばらしいが、低カロリーで見た目の美しい日本料理が世界に浸透しつつあるのは当然だ。

また日本人の親切や思いやりは、外国から来た人たちが異口同音にいうこと。こういうことにもっと誇りをもっていい。しかし、何といっても日本を象徴するのは、サムライ精神だ。だが、いまの教育では教えない。だから、自分自身でもっと知る必要がある。

日本を知らないビジネスパーソンはニセ日本人と思われる。ホンモノなのにニセモノと思われることほど屈辱的なことはあるまい。

日本人としてのプライドをもっておこう

トヨタ社のアメリカでのリコール問題が起きたとき、あれだけ袋叩きになっているトヨタのことを、政府も経済界もマスコミも、ほとんどが擁護しなかったのは、私から見ると、異様な光景だった。

自分の子供が悪いことをして非難されているとき、「うちの子は悪くありません」と理不尽な擁護をする母親がいるが、それは子への愛情であり、自分のプライドでもある。人間にはそういう一面もあってよいはずだ。トヨタはわが国の代表的な企業である。それなのに政府は何のバックアップもしなかった。

それでなくても、アメリカでのトヨタ叩きには、怪しい部分が最初から見え隠れしていたから、少なくとも国内では「アメリカ得意の日本叩きが始まった」という声が上がらなくてはおかしい。日本は本当に情けない国になりつつあるようだ。

台湾の人たちに「どこの国へ行ってみたいか」と聞いたアンケート調査がある。それによれば日本は「旅行したい国」「移住したい国」「尊敬する国」でダントツの一位だった。日本に次いで人気があるのはアメリカで、イギリス、カナダが続く。

こういうデータを見ると、日本人はもっと自信をもっていいのに、とつくづく思う。また、日本にいる外国人も日本を礼賛する人が多い。日本は自然に恵まれている、日本の街は清潔である、日本人の親切は世界最高である、日本の製品は信頼性が高い、日本人の礼儀正しさは敬服に値する……いまや日本のよさを知らないのは日本人だけである。

「昭和はまだ国柄が残っていた。尊敬に値する人間であるかと、金があるかないかは何の関係もない。そういうことを日本人全員が知っていた」

お茶の水女子大学名誉教授の藤原正彦さんの言葉である。この言葉で気がついたが、どうも日本がおかしくなったのは、平成の世になってからのようだ。その予兆は以前からあったにせよ、平成になってから、日本人はなぜか自信を失ってしまった。その証拠といっていいかどうかわからないが、最近は背筋をピンと伸ばした人間が少なくなったようだ。

私は街を歩き回るのが好きで、つねにあちこち出かけていくが、以前はちょっと目を引くような凛《りん》とした紳士や淑女をよく見かけた。そういう人に出会うと、「どんな生き方をしてきた人なのかな」と勝手に妄想を膨らませたものだが、最近はそういう対象になる人物にめったにお目にかかれないのだ。

渋谷にたむろする若者の生態も、近頃は微妙に変化してきている。大人に文句をいわれると、妙に素直なのだ。たとえば酔っ払って飲食店の看板を引き倒した若者に警察官が注意をしたら、平謝りに謝っていた。こんな光景はめずらしい。

これは、いったいよい傾向なのか。それとも衰退の兆しなのか。一概に判断できないが、生意気な若者が少なくなるのは、あまりよい傾向とはいえない気がする。こういうことになったのは、前項でも述べたように、日本人が日本人としてのプライドを失った結果だと思う。

私は、これからの日本は科学技術でもう一花咲かせられると思っている。一つは石油資源が絶対の力をもてなくなるからだ。電気自動車は急速に普及すると思う。エネルギーの多様化もさらに進んで、家庭の電力は自家発電が中心になる。

そういう時代がやってくれば、石油が埋蔵されている国やレアメタルを産出する国よりも、四方を海に囲まれた海岸線の長い国が、面積だけ広い国よりも有利になると思う。中国に経済で追い抜かれても、何の心配もないと思っている。

ただ、これには条件がある。たとえば、テレビで老人の万引きの一部始終を放送したりしていることがあるが、あれはどんな社会的な意義があるのか。ほかにも「日本人はこんなに情けなくなりました」という内容が多すぎる。

マイナス面の報道はいい加減にして、もっと日本の明るい側面を報道する。マスコミがそういう姿勢をとることが、日本人が自信と誇りを取り戻すためには必要なことだと思う。

アマチュアではなく、プロの生き方を！

北海道・富良野で脚本家を育てる私塾を開いていた脚本家の倉本聰《そう》氏が、その私塾を閉鎖したという報に接して考えさせられた（二〇一〇年一月五日付『産経新聞』）。

倉本氏が、いまの若者にがっかりしている様子がひしひしと伝わってきたからだ。立場はまったく違うが、私が日頃感じていることと、ほとんど同じだった。

二十六年間も続けた塾をやめた理由について「まず僕の非力がひとつ……」という語り出しに、思わず苦笑してしまった。

この言い方こそ、われわれ世代のものなのだ。人を責める前に、まず自分を責めてしまう。自分の落ち度を検証しないでいられない。そして、決して一方的に他人のせいになどしない……こういうことを、若い人たちも少しは見習ってほしい。

それはそれとして、倉本氏が語ったいまどきの若者の生態。

「昔と今とでは入ってくる塾生が違う。『プロになる覚悟』が欠けているのです。シェークスピアもイプセンもチェーホフも読んでいない。演劇を志す常識も知らない……まるでカルチャーセンターに入るような感覚ですよ。せめて『大学生』なら教えられるけど、『幼稚園』から教えるのはつらい」

「今どきの若者はみんな優しいんだけど、本当の優しさじゃない。〃優しさごっこ〃です。人間関係が希薄なんですね。しかられたことがないヤツも多い。ちょっと声を荒らげると頭の中が真っ白になってしまう。これは親が悪い。家庭の中で煩わしいことを起こしたくないから、しからないし、殴りもしない。甘やかすだけです」

「国民には自民も民主もない。『政治』を見ているんです。（中略）『脱官僚』だって、重箱の隅をつつくようなことはよくない。たしかに、天下りで年収二千万円ももらうヤツが何人もいちゃあ困るけど、役所を定年になって、従来の給料の三分の二や一で雇うならば、目くじらを立てることもない」

どれもこれも、ごもっともなことばかり。そのつらさがよく理解できた。

「過冷却」という科学現象がある。冷やしすぎることで、水はマイナス二〇℃でも凍らない水になることがあるのだ。この水は分子的にとても不安定で、たとえば水の表面に微粒子のゴミが落ちたり、ちょっとした振動を与えるだけで、一瞬にして氷結する。

いまの社会は、何かの臨界点に達している過冷却社会のようなものだ。何かの拍子に一瞬にして、過冷却水の氷結に似た大変化が起きる可能性がある。それが何かは誰にもわからない。私にももちろんわからない。よいことか悪いことかもわからない。

ただ、私の感覚では、カギを握っているのは若者たちのような気がする。明治維新を引き起こしたのは、あのとき臨界点に達していた若者たちだ。そして、これからの日本をつくっていくのは、いまの若者たちだ。そんな若者の中には、次の世代を任せられる二十代も少なくないと信じている。

5章

《人に頼らない生き方》

自分は自分！「比べる生き方」をやめよう。

いまの会社選びは間違っていないか

毎年、大学生の就職活動の様子が新聞で大きく報道される。それを見ていて、いまの就活学生は大変だなと思う。同時に、いまのような会社の選び方でよいのか、という疑問もある。どこかで、何かが間違っているのではないか。

人生二十代で必ず遭遇するのが就職というイベントだ。この時期がくると、父親が社長だとか、大企業にコネがあるとか、成績抜群の者は別にして、多くの学生は自ら会社を選んで試験を受けることになる。

しかし、いまは就職大氷河期の真っ最中で、望み通りの会社から内定をもらうことが難しい。なかには五十社も受けて、一社からも内定をもらえない気の毒な学生もいるという。こういう報道に接するたびに就活学生に同情を禁じえない。

ただ、おかしいことがいくつかある。まず、第一におかしいと感じるのは、就職情報誌などが報じる人気企業ランキングである。あれは何を意味し、誰の役に立っているのか。

三菱商事、三菱東京ＵＦＪ銀行、三井物産、東京海上日動火災保険、伊藤忠商事。この五社が、二〇一〇年大卒文系の人気企業ベスト5である（『週刊ダイヤモンド』）。

この顔ぶれは、いまから三十年前と大差ない。理系になると製造業の大企業が出てくるが、その人気度も昔と大きな違いはない。このランキングは、就活学生を対象としたアンケート調査をもとに作成されるらしいが、たとえば三菱商事と答えた学生が三菱を受けているのかといえば、そうではあるまい。

昔、三菱系企業の就職担当から聞いた話だが、「うちはずっと以前から、ほとんど決まっています。入社試験はまあ、見せかけでやるようなものですね」といっていた。

祖父、父親、当人、息子と四代三菱に勤めている一家を知っている。祖父というのが偉い人物で、三菱系の中核企業にいたが、子供たちはだんだんデキが悪くなり、入社する企業の格は落ちていったが、三菱一家であることに変わりはない。

こういうのを見ていると、何のコネもなく三菱系の会社に入れるのは、よほど優秀な人間でないと無理だろうという気がしてくる。ほかの大企業だって推して知るべしで、コネもなく並の成績の学生が、超一流企業に入社できるなど至難の業である。

人気企業ランキングなど誰の役にも立たない。即刻やめたほうがいい。それから、就職指導というのもヘンなものだ。面接のお辞儀の仕方から模範解答まで、懇切丁寧に教えているが、いくらいわれた通りやっても、それが役に立って受かるなんてことはないだろう。あれは就職指導ビジネスなのだ。

五十社も面接を受けて一社の内定ももらえないことは、必ずしも就職戦線のきびしさのせいとはいえない。少しは自分の可能性を考慮して試験を受けるのが常識ではないか。五十社も受けつづける根性があるなら、それを別に向けたほうがいい。

いまの就活学生がやっていることは、就職情報誌や就活ビジネス業者が創作した「就職はこうして決まる」という壮大な虚構に操られているのではないか。企業もそれに加担しているのだ。新卒学生の就職のあり方は、どこかで抜本的な改革が必要だろう。

いまのままでは、大学で肝心の勉強もろくにできないし、学校側も就職斡旋《あっせん》屋に成り下がってしまう。いや、もう成り下がっている。何をどうしたらいいのか、私にもよい案があるわけではないが、一ついえることは、就職情報誌や就職ビジネス業者の発信する情報を鵜呑《うの》みにしないことだ。

彼らは自分たちのビジネスのために、あなたたちを利用している。もう、いい加減にそのことに気づくべきだ。

そして、この先、どうしたらいいかは就活学生自らが考えてほしい。何といっても、これからの日本を支えていくのは、あなたたちなのだ。現状のような、いい加減な会社選びを続けていたら、ますます日本はダメになっていく。

「雇われない生き方」も視野に入れる

このままでは日本は沈没する――こんなことがいわれるようになって久しい。

高度成長時代を目の当たりにしてきた世代の人たちは、自分たちの努力が台無しにされているような無力感をもつ一方で、「どうしてこんなことになってしまったのか」と疑問に感じているはずだ。

いったい、日本はどうしてこんな体《てい》たらくの国になってしまったのか。この疑問に明確に答えた人がいる。ユニクロを創始したファーストリテイリング社の柳井正氏だ。氏は自著『成功は一日で捨て去れ』(新潮社)の中でこう述べている。

「独力で自営業をし続けた人がもっと多ければ、日本はもっとちがった国になっていたかも知れない。サラリーマンが増えすぎた」

これは正しい指摘だと思う。

サラリーマンが増えすぎたのだ。だが、当時のことを考えれば無理もなかった。終身雇用、年功序列が保証され、新卒の求職者はいつも売り手市場で優遇され、給料もガンガン上がっていた。「正社員にしてくれますか」などと聞く必要もなかった。

いまはまったく事情が違ってしまっている。正社員になって一生懸命に働いても、一生身分が保証されない。給料だって上がらない。おまけにリストラされる。それなのに、いまでも時期がくると、高校、大学の卒業予定者はいっせいに就活を始める。

だが、就活一本やりという姿勢は、この辺で考え直すべきではないか。就活をしながら「雇われない生き方」の可能性についても考えてみるべきだと思う。窮すれば通じるで、どんな立場であれ、雇われない生き方はできるはずだ。

たとえば、就活する人が望むのは正社員だ。目標を正社員において、もしうまくいかなければ「非正規でも仕方がない」という考え方をする。もし「雇われない生き方」を考えるなら、逆発想ができる。

自分はいずれ独立する。だが、いまは能力も資金もない。だから、どこかに勤めて、その準備をする。そのためにはどんな雇われ方がいいのか。当然、非正規でもパート、アルバイトでもいいという考え方が出てくるはず。

十年、二十年前にはそういう考え方の人がけっこういた。いまは何か非正規雇用が正規よりも一ランク下と感じる人のほうが多いようだが、本来は選択の問題にすぎない。たまたま不景気で雇用環境が悪いから、正規がよく見えるだけで、好況になれば事情は確実に違ってくる。

いまから十五年前の平成七年（一九九五年）、日経連は「新時代の日本的経営」という報告書を出した。この中で戦後以来ずっと続いてきた終身雇用、年功序列の雇用形態は明確に否定され、サラリーマンは次の三つのタイプに分かれると述べていた。

第一のタイプ＝ゼネラリスト

第二のタイプ＝スペシャリスト

第三のタイプ＝一般職

ゼネラリストは幹部候補生、いわゆるキャリアで雇用は無期限、給与面でも優遇され、リストラの心配はまずない。スペシャリストは能力を買われて会社に籍を置く人たちで、雇用は定年制。給与は能力給中心。無能と判断されればリストラ対象になる。一般職は特別な能力をもたない社員で、非正規に代替可能な社員。リストラの可能性があり、給与面でも低く抑えられ、身分の安定性は万全ではない。

この雇用の基本的構図はいまも変わっていない。就活に励んで正社員になっても、三つのどれに該当するかで、サラリーマン生活は天地ほどの開きが出てくる。

「雇われない生き方」を視野に入れずにサラリーマン生活を続けるのは、いまでは危うい生き方なのである。

横並び意識は捨てよう！

日本人は「みんなと一緒」が大好きで、他人のすることを自分もするという生き方をずっと通してきたが、十代、二十代の若者の中に「わが道を行く」という生き方をする人間が目立ちはじめた。これはよいことだと思う。

たとえば、戦後の若者がずっと憧れつづけてきた車。いま、若者の間で車離れが起きているのはその一例だ。免許証をとれる年齢に達しても「クルマがないから免許はいらない」、また「必要なときに借りて乗る」という態度は、合理的であると同時に、自然体の人生観が感じられて好ましい。

若い女性のブランド離れもこのところの目立つ現象だ。「ルイ・ヴィトンもいいけど、同じものをもっている人に出会うと、何か恥ずかしい」。これも正常な反応だ。

私の知り合いの女子学生は、父親の友人が「お嬢さんに」とくれた海外土産のプラダの財布を、「欲しい」という友人に惜しげもなくあげてしまった。「欲しいと思う人がもつのが一番」という考え方なのだ。これなどはいまの若者の長所といえるだろう。

日本人の特徴といわれる横並び意識は、比べるところから始まる。右を見て、左を見て、みんながやっているとわかると、無定見に同じになろうとする。そうすることで、共同体の一員としての安心感が得られるという精神構造をもっているのだ。

だが、もうこの考え方、行動パターンは卒業したほうがいい。そんな生き方をしていると、自分が不幸でもないのに、不幸だと思い込む愚を冒しかねない。なぜなら、みんなが不幸と思えば、自分も不幸と思うようになるからだ。

いまの二十代はすでにそういう不幸感にとらわれている。二十代の若者は、よくこんなことをいう。

「ぼくらは景気のいい時代って知らないんです。国も会社も信用できない。だから貯蓄に励むんです」

貯蓄に励むのは悪くないが、景気のいい時代を知らないから、これからの時代もずっと同じだと思うのは短絡的すぎる。だが、日本の知識人やマスコミは、物事をことごとくマイナスにとらえる傾向があるから、横並び意識にとらわれた若者たちがそう思うのも無理のないことなのだ。

そういう若者たちにいいたい。「他人と比べて生きるのはもうやめなさい」と。人はみな初期設定が違うのだ。だから単純に比べて評価をしてはいけない。それをすると、大きく間違えることになる。その間違いは不幸になるもとだ。

幼稚園を経営する女性園長がいた。夫と二人でユニークな幼稚園を切り盛りしていたが、待望の第一子は障害を抱えて生まれてきた。

毎日通ってくる園児たちの元気な姿を見るにつけ、「なぜ私の子にかぎって」という気持ちになる。子供と一緒に死のうかと考えたこともあった。だが、いまは元気に頑張っている。理由を聞いたら、彼女はこう答えた。

「私はこの子を育てているんじゃない。毎日、この子から教わっているんだ……」

懸命になって世話をしているうちに、他人の子との比較などどこかへいってしまった。

会社の仕事も同じだ。会社は競争社会でもあるから、何かと比べられる。比べてこちらの評価が低ければ、がっかりする。だが、がっかりして何かいいことがあるのか。

人より少しよいからといって、喜びすぎるのもどうか。喜べば喜ぶほど、次にダメだったときの落胆も大きい。人と比べてもキリがない。比べないことが、どれほど価値をもたらしてくれるものかを知ってほしい。

マニュアル依存はやめなさい

新しく会社に入った新人で、まず「マニュアルをください」という人がいるらしい。これは困った傾向だと思う。マニュアルというものが全然わかっていないからだ。

マニュアルとは何か。手引書のことである。あることをする操作の仕方や手順が書かれたものがマニュアルだ。会社には、いろいろな仕事があるから、その分マニュアルはあるだろう。個々の仕事をしていくには、それらは必要になる。

しかし、会社に入ってきたばかりの人間が、「マニュアルがないか」というのは、マニュアル本来の目的から外れた、ある意味で非常に傲慢な考え方なのである。これはどういうことかといえば、まず、第一に上司や先輩にこういっているのと同じことだからだ。

「あなたたちから、くどくどした説明など聞きたくない。要点だけをさっさと知りたい。そうすればみごとに仕事をやってみせますよ」

あるいは、こうもいっていることになる。

「要するに決まった通りやればいいんでしょ。九時から五時まで、ルール通りにちゃんとやりますよ」

この気持ちの裏には、「自分はこの会社でいわれたことはやります。でも、改革も工夫もする気はない」という、まるで時間給で雇われたバイトのような感覚が潜んでいる。つまり「マニュアルないんですか」ということは、とんだ心得違いなのである。

会社の上司や先輩たちは、毎年、新入社員を迎える季節になると、「どうやって早く会社になじんで、戦力になってもらうか」で頭を悩ませる。そして、さまざまな新人育成法を考える。適切でない場合もあるだろうが、みんな真剣であることは間違いない。

そういう職場に入ってきた人間の役割は、まず謙虚に、上司や先輩たちのいうことから始めなければならない。マニュアルも、一通りの説明が終わったあとに「これをよく読んでおいてほしい」ともち出されるのがふつうだ。自分のほうからマニュアルを要求するのは、上司や先輩たちの思いを無視する失礼なふるまいであることを、まず知っておく必要がある。

第二にマニュアルの基本的な性質についてだ。マニュアル重視の人間は、マニュアル通りにやれれば、「合格」と思うだろうが、それは違う。マニュアルでやることというのは、会社の仕事では、最低レベルの仕事なのである。

そもそも、マニュアルは外食産業などで、アルバイトやパートの店員を雇うとき、同じ接客対応をしてもらうために「これだけのことは、きっちりとやってもらいたい」という意味を込めて作られたものだ。

もともとマニュアルはアメリカから輸入されたもの。さまざまな人種が働く中で、最低これだけは統一したいという願いから作られたものだ。そんなマニュアルに、会社に入った新入社員が依存し、それだけやっていれば事足れりということは絶対にない。

「マニュアルありますか」は、自分からいってはいけないセリフである。そう心得ておくほうがいい。

二十代からのネット社会の生き方

私が書籍で調べものをしていると、「インターネットで検索したほうが早いですよ」とよくいわれる。「じゃあ、調べてよ」というと、たちまち山ほどのデータを集めてくれるが、それらの資料はあまり役に立たない。それどころか迷惑だ。全部に目を通さなければならないからだ。

若い人はとかく情報を量で考えがちだ。情報量が多ければ多いほど、よいと思っている節がある。だが、それは間違いだ。

情報を集めるときに一番重要なことは、「自分が何を知りたいか」である。それがわかったうえで、いち早くその知りたいことにたどり着くのが、効率的な情報集めなのだ。いま、情報を集めるうえで注意しなければいけないのは、情報の質である。情報量が多いということは、中に質の悪い情報がたくさんあるということだ。

インターネット検索で集める情報は、ミソもクソも一緒のことが多いから、どれが必要な情報かを見きわめる目が大切になる。

情報の質の話になると、権威ある公的機関から出た情報や、専門家の発信する情報のほうが、そうでない情報源よりも「信用できる」と思ってしまう。だが、情報の質は、そういう視点から見てはいけない。情報の質には二つの判断基準がある。

一つは鮮度である。どれだけ新しいか、それを見なくてはいけない。情報に接したときは、それがいつの時点で作られたものかを確認する必要がある。

もう一つ心得ておくことは、われわれが手に入れた情報は「過去」だということだ。ある出来事があって、私たちが知ったとき、それはもう過去の出来事である。その意味で情報とは過去であり、大げさにいえばもう「歴史」なのだ。

そういう感覚でいないと情報の扱い方を間違える。ある偉い人が「電柱の地下埋設」について力説していたことがある。

「公共事業はいけないというが、電柱の地下埋設をすれば、何兆円もの大プロジェクトになるし、ムダな公共事業といわれないですむ」というのだ。

二十年前だったらこれは正しかったかもしれない。だが、いまはもうする必要のないことだ。なぜなら近未来の電気供給は電力会社を頼る必要がなくなるからだ。すでに太陽光を使った自家発電装置が売られる時代なのだ。エネルギー革命の現場の情報を知れば、そういうことがわかる。

情報の質という点で、インターネット検索にあまり頼りたくないと私が思うもう一つの理由は、間違った情報かどうかの判別がつきにくいからだ。いまの検索の仕組みでは、まだ信用できないのである。

将来、検索機能がどう進歩するかは未知数だが、少なくとも現段階での情報収集は、検索に頼らなくても、それほど大きなマイナスはない。現行の検索機能は、情報の素人には便利だが、情報のプロには補完的な役割しかしてくれない。このことはぜひ知っておいていただきたい。

世の中をもっと疑いの目で見てみよう

青年の特権は「何かおかしい?」と思うことがあったとき、「おかしい!」と大胆に声を上げることにある。二十代こそ、この特権を最大限に生かせる時期である。ところが、最近の若者はすっかりおとなしくなってしまった。これは残念なことである。

みんなが「そうなんだ」と信じ込んでいることの中には、間違ったことがいっぱいある。ありすぎるくらいあるといっていい。たとえば、いまでは誰もが信じている「地球温暖化問題」がそうだ。温暖化の犯人CO$_2$を削減しようと日本人は頑張っている。

だが、これがどうも怪しい雲行きになってきた。

肝心のIPCC(気候変動に関する政府間パネル)のデータ改竄《かいざん》が発覚したからだ。以前から「地球は温暖化していない」と主張してきた中部大学の武田邦彦教授は、政府がCO$_2$の二五%削減を盛り込んだ温暖化対策基本法案を「ばかげた政策のために二〇二〇年には国民の年収は半減する」と警告している。

こういう問題に、若者たちはもっと敏感であってもらいたいのだ。もし武田教授のいうことが本当なら、国益を損なう由々しき問題ではないか。どうして、こんな重大な問題に声を上げないのか。

医療分野もひどいことになっている。医事評論家の中原正臣さんの『テレビじゃ言えない健康話のウソ』（文藝春秋）という本には、健康診断のまやかしについて次のようなことが書かれている。

・健康診断で医学的根拠があるのは、血圧、身長・体重、飲酒、禁煙、うつ病、糖負荷試験の六つだけ。ほかに信頼できる数値はない。
・健康診断で「異常なし」との健康人と診断されるのは、わずか一〇％しかいない。
・「がん検診は効果なし」と厚生労働省も認めている（子宮体がん、乳がん、肺がん検診はあまり効果がない）。日本人はホッとするために、がん検診を受けている。
・日本のメタボリック検診は病気を増やす陰謀。メタボの基準値には何の根拠もない。海外と比べてきびしすぎる基準で一九六〇万人が予備軍とされた。

などなど。もうとにかく、信用のならないことばかりが横行している。それをおかしいと声を上げる人があまりに少ない。マスコミも、こういう問題になると、広告出稿の関係からか、なぜかおよび腰になってしまう。若者が声を上げてほしいと思うのは私だけではあるまい。

若者は既成の価値観を容易に信用せず、むしろ壊す側に回るのが常だった。勘違いであれ、生意気であれ、それが若者の特権だった。昔の学生運動とはそういうものだ。学生運動など、いま、はやらないのはわかるが、こういう問題に知的に取り組むのは、むしろ楽しいのではないだろうか。

シンガーソングライターのさだまさし氏が、「いまの時代に欠けているのは正義感だ」といっていた。「正しいと思っても実行しない。自分だけよければいいと思っている」。これに私も同意する。さだ氏は昭和二十七年（一九五二年）生まれ。もうすぐ還暦の人だ。

いまの二十代は情報にも強いし、知的レベルも高いはず。ごまんとある「怪しい話」をしっかりと見きわめて、正しい判断を下す一大勢力になってもらいたい。大志の抱きにくい時代かもしれないが、これだって立派な大志ではないだろうか。

一流の人、一流のモノに接しよう

若いときは「一流」に触れておくのも大切なことだ。

一流の人、一流のモノに触れることは、その人の可能性を大きく広げてくれるからだ。

以前、友人がこんな話をしたことがある。

「会社に入りたての頃、外から帰ってきて、交通費の伝票を書いていたら、一人の先輩がやってきて、タクシー料金水増しの仕方を懇切丁寧に教えてくれた。内心あきれて、その先輩とは距離を置くことにした」

これは正しい対応だ。人間関係には類友の法則（似たもの同士が集まること）が働くから、自分を高めてくれそうな人間とつきあうべきである。

ピーター・ドラッカーは、大学を出てから新聞記者になった。そのとき仕事を通じて、さまざまな分野の一流の人と出会って、自分が磨かれたという。会社に入ると、外の人とのつきあいも増えるが、地位の高い人や優秀と評判の人には、積極的に接する機会をもつようにしたらいい。

私も新聞記者をやって、ふつうだったら会えないような人に大勢会えて、ずいぶん得をしたと思っている。一流の人、一流のモノに触れていると、自然に自分の中に判断のモノサシができてくる。そして無意識にそれを使うようになる。

これが大きいのだ。一流と二流の差みたいなものは、言葉で表現するのがすごく難しい。だが、確実にある。そして、それを知るには、絶対じかに触れないとダメだ。じかに触れると、頭の理解だけでなく、五感も働いて理解できるに違いない。

シャネル・ブランドを創始したココ・シャネルという女性は、捨て子同然で教育もほとんど受けていない。にもかかわらず、超一流のブランドを創始できたのはなぜか。彼女は不思議な魅力をもっていて、当時の超一流の人物と交流できた。それが彼女の感性を磨いたのである。

彼女がつきあった人物は、詩人のジャン・コクトー、夭折《ようせつ》の天才作家ラディゲ、画家のダリ、ピカソ、作曲家のストラビンスキーなどなど。こういう人たちから一流のエキスを吸収したのだ。

しかし、「あなたは誰それさんから何を学びましたか?」と聞いたら、たぶんまともな答えは返ってこないだろう。本人自身がそれを明確には意識していないからだ。一流から学べることというのは、口で説明できるようなことではないのだ。

だからこそ、じかに会って触れることが大切なのだ。モノでも同じである。たとえば名品といわれる茶碗があるとする。だが、あなたはその茶碗を見ても、そこらへんで千円くらいで売っているものと区別がつかない。修業が足りない人はみんなそうだ。

だが、見る目のある人ならビリビリと感じるはずだ。一流を知るとはそういうことだ。それがいつ、どのような形で訪れるかはわからない。だが、一流の人やモノに接していれば、格別努力をしなくても、いつかはわかるようになる。

二十代はできるだけ時間をつくって絵や音楽など、芸術作品の本物に接する機会をたくさんもつこと。本物を見たり、聞いたりしていれば、そのうちニセモノがわかってくる。真贋を見きわめられる目ができてくれば、自分にとっても大きなプラスになる。

「自分だけの楽しみ」「一人の楽しみ」を知っておく

携帯電話のおかげで、いまの若い人たちは、数の上では大勢の友人をもっていることだろう。なかには、アドレスに何百人という名前があって、それを自慢する人もいるというが、それは見せかけで、真の友人は昔の人より少なくなっているのではないか。どうもそんな気がしてならない。

そうでなければ、「出会い系サイト」などという怪しげなものが、こんなにはやるはずがない。出会い系を利用する人は、見知らぬ他人でもいい、とにかく自分とつきあってくれる人を探しているわけだから、結局は孤独がいやなのだ。

孤独には二つのパターンがある。一つは、人里離れた山の中に一人でいるような孤独である。周りを見ても誰もいない。話したくても話す相手がいない。そういう状態に置かれると、寂しさや心細さを感じるに違いない。だが、この種の孤独感は、街へ戻ってくれば癒される。

もう一つの孤独は、次のようなものだ。

「誰一人知る人もない人ごみの中をかき分けていくときほど、はなはだしく孤独を感じることはない」（ゲーテ）

いま、多くの現代人が味わっている孤独は、こちらのほうである。この孤独は山の中の孤独と違って、簡単に癒されることがない。出会い系がはやる理由はここにある。

毎日大勢の人と出会って、おしゃべりをし、仕事をし、大量のメールを交換し、パーティーに参加し、それでいて、少しも満たされない。恋人ができても、すぐに不仲になって別れる。これは、二十四時間人とつながっていられるような社会をつくってしまったために起こった孤独だ。

いまの若い人たちは、確実に人づきあいが下手になっている。「KY」（空気を読めない人）などという言葉をつくって「周囲から浮いた人」のことをバカにするが、実は一番KYなのは、そちらのほうなのだ。人の本当の心が読めない。なぜ、こんなことになったのか。私は一人遊びができなくなったからだと思う。

一人遊びというのは、別に遊びでなくてもいい。誰ともつきあうことなく、一人で過ごす時間をもち、その時間が楽しいことをいう。一昔前の「オタク」という言葉は、一種の蔑称《べっしょう》だったが、いまはオタクといわれる人たちが妙に元気だ。

たとえば、最近よく話題になる「歴女」たち。生身の男にほれないで、坂本龍馬や戦国武将に夢中になる。あるいは「撮り鉄」といわれる鉄道マニア。彼ら、彼女たちがなぜ元気かというと、一人遊びをしているからだ。これからの人間は、一人遊びができなくてはダメだ。一人遊びができれば、孤独に強くなれる。

孤独に強くなると、何かいいことがあるのか。

心理学者の志賀春彦さんによれば、「独創力がついてくる」という。あなたが仕事のことで独創力を発揮したいと思うなら、人とつながってばかりいないで、たまには一人ぽっちになってみることだ。

「最高のものを求める人は、つねにわが道を行く。幸福になろうとする人は、まず孤独であれ」（オーストリアの詩人／ハーマーリング）

海外一人旅をしてみよう

いま、サラリーマンに休日がどのくらいあるかご存じだろうか。

週休二日の会社の多くでは、なんと一年の四割は休日である。日数にすると約百四十日。ほかに有給休暇もある。だが、これらの時間を有効に使っているだろうか。

この時間を使って、二十代の人たちに海外一人旅をぜひおすすめしたいのだ。

海外旅行をする人は大勢いるが、一人で海外旅行をする人はそんなに多くない。それでも二十代のうちに一人で海外の旅をしたほうがいい。

そうすれば、確実に自分が成長したことを実感できる。かねがねそう思って身近な人にはすすめてきたが、最近、ある新聞記事を目にして、ますますその意義を確信するに至った。そのことを報告しておきたい。

旅行好きな人なら『地球の歩き方』という旅行本をご存じだと思う。ふつうの本とは切り口が違うユニークな海外旅行ガイドブックだ。

この本を創刊したダイヤモンド・ビッグ社の西川敏晴氏（同社会長）の話である。まだ『地球の歩き方』が創刊される前のことである。同社は海外旅行業も営んでいて、語学研修で留学する学生たちをアメリカに送り込んでいた。その送り込み方が当時としては破格なものだった。

ニューヨークまで飛行機で連れて行くと、オリエンテーションをやって、そこで現地解散してしまう。そして、滞在期限の切れる約一カ月後にロサンゼルスに全員集合、一緒に帰国するという徹底した放任主義だったのである。

このやり方が、意外な効果をもたらした。

初めての外国ということで不安いっぱいだった学生たちが、およそ一カ月の間、見知らぬ異国の地に放り出されるとどう変わるか。「自信に満ちた面構えで帰ってくる」のである。この気づきから『地球の歩き方』は生まれたという。

こういうことだから、会社に就職してからでもいい。休暇を使って、ぜひ海外一人旅を実行してみていただきたいのだ。

海外が無理だというなら、まず国内旅行からスタートしてもいい。ぶらりと出かけて三日でも四日でも気ままな一人旅をしてみることだ。

いまは予約も簡単にできるが、できたらアナログでいきたい。見知らぬ土地を最小限の旅支度で歩き回っていれば、思いがけない出会いがあるし、めずらしいものに出合って、新鮮な刺激を受けることも多い。

また、一人で行動していると、ふだん考えないようなことを考えるようになる。こういうことのすべてが、自分の成長につながっていく。

二十六歳の出版社勤務の女性が、思い立って海外一人旅を始めた。二年間で四十七カ国を単身で見て回り、その体験を一冊の本にした。開高健ノンフィクション賞を受賞した『インパラの朝』（集英社）の著者中村安希さんである。

中村さんは「イスラム圏やアフリカ諸国の実態は、日本や米国のメディアが伝えているようなものとは違っている」ということを身をもって知ったという。

ガイドつきの集団のパック旅行を何度繰り返しても、こういうことは学べないのである。

幅広い年齢層とつきあうコツ

最近、年の差カップルというのが目立ちはじめている。

二十代の女性が六十代の男性と結婚する。昔はみんな驚いたものだが、いまはそんなことはない。また、二十代の男性がアラフォーの女性と結婚するケースも出てきている。異性関係で年の差のタブーが崩れてきているわけだが、異性関係にかぎらず、もっといろいろな年代の人とつきあうことが大切だと思う。年齢差十歳くらいの人たちともつきあうべきだ。

仕事の関係もあるだろうが、私がつきあう人間はほとんどが年下だ。二十代から始まって、五十代、六十代まで、全世代の人間とまんべんなくつきあっている。

世代の違う人間とつきあうと、考え方や感覚の違いがわかって実に面白い。同時に、どの世代にも共通する部分もわかる。

これも人間を知るうえで大いに参考になる。だから、私は若い頃から、仕事ばかりでなくプライベートでも、幅広い年齢層とつきあうように心がけてきた。

おかげで、ずいぶん人生の幅を広げられたと思っている。

ところが、いろいろ聞いてみると、仕事で私とつきあう二十代の青年でも、仕事を離れると、同じ世代とのつきあいが圧倒的に多いようだ。合コンや飲み会は、ほとんどが同世代。どうして、もっと上の人間とつきあわないのか。

二十代は、これからの長い人生をうまく生きていくために、人脈というものをつくっていかなくてはならない。よい人脈は仕事面でも大いに役立つが、それだけではない。その人を成長させてくれるものである。

人間は、もともと世代のかけ離れた者同士で寄り集まって生きる存在だった。そのことは、人間集団の最小単位である家族を見ればわかる。

親子を中心に上には祖父、曽祖父がいて、下には孫、ひ孫がいる。タテに長く、ヨコのつながりは、きょうだい関係だけである。

これが人間関係のもっとも基本的な姿だ。この集団の中で、子供たちは、世代の違う人間への接し方を学び、生きる知恵を授けられてきた。

ところが戦後、とくに核家族化が進んだ以後の子供は、親と先生世代の大人を除くと、ほとんど同世代としかつきあわないで大人になる。

タテの人間関係がまるでなっていない。せめて親がその穴を埋めるようにきちんと仕込んでくれればいいが、親自身が同じような育ち方をしているから、幅広い年齢層とつきあうことの大切さに気づいていない。仕込むなど望むべくもないのである。

かくして、企業は新人を迎え入れると、口のきき方のイロハから教え込まなくてはならなくなった。景気がよかった頃は、企業も手取り足取り教え込む余裕があったが、いまの企業はそこまでやれない。その結果、「ダメな人間はいらない」という態度をとるところも出てきている。

雇用事情が、雇われる側にきびしいということは、雇う側に選択権があるということで、この先、仮に派遣規制が行なわれても就職戦線の買い手市場はしばらく続くだろう。

どんな仕事であるにせよ、人間関係は重要だ。人とうまくやれない人間は、自分もいやな思いをするだろうが、それ以上に会社には不要の存在になる。世代の違う人間と積極的につきあって、全天候型の人間にならないと前途は険しい。

では、どうやって幅広い年齢層とつきあうか。プライベートでそれを実現するのがコツである。なぜなら、プライベートは失敗しても直接仕事に響かない。謙虚に教えを請うこともでき、人脈づくりにもなる。

サラリーマンから若くして独立起業を実現した青年は、幅広い年齢層とプライベートにつきあう手段として、地域ボランティアへの参加を利用したという。こういうことも一つの参考になるだろう。

6章

元気の出る二十代のための生き方。

《夢のある人生を楽しむために》

〝羊〟よりも〝オオカミ〟になろう

若い女子の間に「肉食系」というタイプが増殖しているらしい。恋愛にもセックスにも積極的で、「彼氏以外の男性とのセックスもＯＫ」という貪欲で元気な女性たちだ。

一方で、二十代に「サイダー男子」なるものが急増しているという。自然体で無理をしない男子たちのことだ。

アサヒ飲料が二十代の男子五百人と、三十、四十代の男性五百人を対象に行なった消費行動調査でそれがわかった。

これを見ると、世代間の違いがわかってなかなか興味深い。たとえば、憧れの存在一つとっても、ずいぶん違う。三十、四十代は「自分がなりたいイメージ」を「カッコいい」に置くが、二十代男子は「自然体」だという。また三十、四十代が外見を重視するのに対して、二十代は中身を重視する。これは一つの進歩といえなくもない。

お金の使い方でも、三十、四十代が「飲み会など交際費」なのに、二十代は「貯金」

「食事代」と堅実そのもの。また三十、四十代が「家にいるより外へ遊びに出る」のに対して、二十代は「家で過ごすのが大好き」と、何から何まで違っている。

この調査の二十代は一九八〇年から八九年生まれ。三十、四十代は一九六〇年から七九年生まれが該当するから、一番近いところでは一歳の差しかない。それでも意識や生活スタイルはずいぶん違っている。

時代変化もあるのだろうが、二十代のこの堅実志向は決して悪いことではない。ただ、気になるのは、そのあまりのおとなしさだ。このことは二十代よりさらに下の大学生、高校生の世代を見てもわかる。

私たちの時代、十代、二十代の若者はエネルギーを持て余していた。学生運動がさかんだったのもその現われだ。別に体制に大した不満があったわけではない。だが「井の中の蛙《かわず》」が持て余したエネルギーを学生運動で発散させていた。

世の中にはいろいろな問題が山積しているにもかかわらず、いまは若年層も中堅層も、世の中に抵抗するエネルギーが弱い。こんな風潮を嘆いておられるのが、社会学者の加藤秀俊さんだ。

「現代の若者に批判精神、あるいは覇気がなくなった。じっさい、いまほうぼうの大学に出かけてみると、まことに平穏無事。学生たちはまるで羊の群れみたい。批判どころか気味がわるいほど静かである」

学生運動がよいとは思わないが、一番エネルギーが横溢《おういつ》しているはずの若年層がおとなしすぎるのは問題だ。一つは、ケータイやパソコンで個人が意見をいえるようになったことも大きいと思う。メール、ブログ、ツイッターでいいたいことをいえれば、適度のガス抜きになる。それで大きなエネルギーを結集できないのだ。

だが、それよりもっと問題なのは、力強いリーダーの不在ということだ。どんな社会だって、その時代時代に、ふさわしいリーダーは自然に現われるものだ。

戦国時代には織田信長が、明治維新のときには坂本龍馬という傑物が出現した。そして同時期に、時代を引っ張るすぐれたリーダーが、まるで神の手によるがごとく幾人か現われる。これが歴史の必然というものだろう。

ところが、いまの日本にはこれだけ自由があって、多様化が進んでいるのに、社会のさまざまな分野に、これといった力強いリーダーがなかなか現われてこない。これがどうしてか不思議でならない。そんなリーダーを必要としないほど、日本は平和で安全、豊かな国なのか。そんなことはないだろう。

「一頭の羊に率いられた百頭のオオカミの群れは、一頭のオオカミに率いられた百頭の羊の群れに敗れる」。こういっているのは、あのナポレオンだ。

いまの日本が弱体化しているのは、一頭の羊に率いられた百頭の羊の群れだからだろう。世界はオオカミだらけだが、日本がたとえ多くの羊の群れであっても、力強いオオカミが幾頭かいてくれれば、十分に世界に伍していけるはず。三十代はともかく、もう四十代から上の世代にそれを望むのは無理だろう。

そんな力強いリーダーの出現を、私はいまの二十代の若者に期待したい。

もっと男の色気を追求しよう

前項でも見たように、いまの二十代男子を評して、「サイダー男子」とか「草食系」とか、妙な呼称が使われているが、受けるイメージは、さわやか系であっても、色気というものを感じさせない。これは実に困ったことだ。

なぜなら、人間、色気がなくなったらおしまいだ、と私は思っているからである。男の色気とは必ずしも異性を意識したものではない。男が見てもほれぼれするようないい男、男子であるかぎりは、そういう人間を目指さなければ、生まれがいがないではないか。

この点、女性は正直だ。失礼ながら「悪あがき」も含めて、大半の女性が、必死になって自分を魅力的に仕立てようと努力している。化粧をはじめダイエットなどなど。男はこの努力が足りない。生きる知恵としても、「自分をどう魅力的に見せるか」を少しは考えたほうがいい。

映画やテレビドラマで主役を演じる俳優も、近頃は男の色気を感じさせる役者は少ない。

私の好みで何人か挙げるとすれば、渡辺謙、役所広司、佐藤浩市あたりが色気を感じさせる俳優だ。黒澤明監督は目が高かった。三船敏郎、仲代達矢をはじめ、脇役でもみんな男の色気をもった俳優たちばかりを使った。なかには、もちろん勝新太郎も加わる。

プロ野球ではダルビッシュ投手がいい。イチローが意外に女性に人気があるのも、男の色気が感じられるからだろう。長嶋茂雄監督が国民的な人気を博したのも、彼には独特な男の色気があったからだ。

人間の魅力は、ルックスだけでなく、立ち居振る舞い、口調、表情、性格なども含めた総合的なものである。それを一言で表現すると「色気」ということになる。自分の交際範囲でも、そういう色気を感じさせる人が必ずいるはずだ。

また、ふだん感じられなくても、何かの拍子にそれが出てくる人もいる。いつもボーッとしている上司が、何か大事が起きると、見違えるようにしゃんとして、テキパキと指示を出す。そんなとき、周囲の人間はほれぼれする。

中年を過ぎてから「加齢臭おじさん」などと侮られないためにも、それぞれが自分の個性にあった色気を追求してみる必要があると思う。女性に比べて男は、あまりにそういうことに無頓着すぎる。

二十代は、それでも異性にモテたいという気持ちが強いから、少しは自分の魅力について考え努力するが、就職してサラリーマン世界にどっぷり浸かると、いつの間にかそういう気持ちが失せてしまう。

ではどうやって？　といわれても、これはかりはその人の内面の問題もあるから、簡単には説明できない。あえていえば、外見を整えることがまずあるだろう。

男性なら背広、靴、靴下、髪の毛、手爪の手入れといった身だしなみの基本は、きっちり押さえておく。日本のサラリーマンの服装は個性がない、地味な色ばかりだが、このへんにも一工夫いる。それからマナー。誰にも後ろ指を指されないマナーを習得しておく。以上は外見上の問題だ。あとは心の持ち方もある。こちらは知識や教養、それから人生哲学などが関わってくる。人の考えは自然ににじみ出てくるもので、目利きにはごまかしが利かない。

だが、一つよい方法がある。何でもいいから腹を据えるというか、覚悟を決めることだ。覚悟を決めたときから、男はいい顔になり、色気が出てくるのだ。

「男から見てもいい男ってヤツは、自分の生きる道を見すえて、まっすぐ突き進む覚悟を決めるもんだ。そんな姿勢に男は惚れるんだし、女だって、黙っていたってグラッてくる

ものだ」（安藤昇『男の色気』ごま書房）

安藤昇を知らない人は多いと思うが、戦後の渋谷を縄張りにしていた有名なやくざの親分だ。のちに俳優、映画プロデューサーに転じ、斯界《しかい》で活躍した才人だが、男の色気をたっぷりもった人だった。彼のいうことは当たっている。

「食べていければ十分」では夢がなさ過ぎる

「人より多くの賃金を得なくても、食べていけるだけの収入があれば十分か?」

こんな質問に、新卒新人の約半数、四七%が「イエス」と答えた。また、「年功序列的な賃金体系を望むか」との問いにも四八%が「イエス」と答えている。

新卒新人の二人に一人が「給料は食べていければ十分」であり、「給料は年功賃金がいい」といっていることになる。イマドキの二十代の堅実さを物語る数字だが、もう少し若者らしい夢をもってもらいたい気がする。

私たちのように、戦後の食えない時代を体験した世代なら、それが身にしみて「食っていけるだけでもありがたい」と思っても不思議はない。

だが、いまの二十代といえば、一九八〇年代以降に生まれた者たちである。育ちざかりの時代にバブル崩壊の体験があったにしろ、日本は世界に冠たる経済大国だった。そんな時代に育った子供たちが、長じてこれほど安定志向になるとは想像のほかだ。

同じような感想を、サラリーマン作家の高任和夫氏が新聞のコラムで語っていた。二十六歳の青年と一緒に新幹線に乗って雑談をしていたら、

「とくに欲しいものはない。贅沢もしたいとは思わない。だいたい贅沢がどんなものか知らない。好景気がどういうものかもわからない。会社も国も頼りにならないから、お金の余裕ができたら貯金する」

というようなことをいったらしい。高任氏も驚いていた。

二十代といえば、遊びざかりの年代だ。そんな若者たちが、定年間際のおじさんのような考え方をしている。

なぜ、こんな考え方になってしまったのか。思い当たることはただ一つ、世の風潮を創り出すマスコミの影響だ。ここ二十年来、日本のマスコミは、一貫して「日本ダメ論」を展開してきている。

バブル崩壊以前はそうでもなかったが、一九九〇年代に入ってからは、なぜかダメ論のほうが優勢になって今日まできている。どんなことにも見方はいくつかあり、よくも悪くも解釈できる。財布に千円札一枚のとき、「千円しかない」とも「まだ千円ある」とも解釈できるのだ。

どちらに解釈したって、現実は少しも変わらないが、気分はずいぶん違ってくる。マスコミはずっと「千円しかない」という否定的な側面から報道しつづけてきた。そのほうがインパクトがあるからだ。おかげで日本人はマイナス思考に陥ってしまっているのだ。

二十代の若者たちは、この否定的な報道しか知らないから、ほかに考えようがない。成人式を迎えた若者に、日本の未来について「暗いか、明るいか」と尋ねた調査では、「暗い未来」と答えた者が八〇％もいた。

マスコミのマイナス報道の効果、恐るべしである。若い人たちに私がいいたいことは、「千円しかない」ばかりではなく、たまには「まだ千円ある」と考えてほしい、ということだ。

いま日本で、こんなふうに元気の出る見方、考え方を発信してくれている一人に、経済評論家の日下《くさか》公人《きみんど》さんがいる。日下さんの発想、情報はいつもユニークで新鮮だ。その一例として、やや古いが、日下情報の一端を紹介しておこう。

「……中央工学校（理事長・大森厚氏）を例にとると、同校は建築、土木、測量、設備、デザインを教える二年間の専門学校だが、卒業生は毎年約六百人に対し、求人社数は五千社で、求人数は八千人である。つまり、仕事はいくらでもある。しかもそれは勉強が役に

立つ現場だから働き甲斐がある。ウツになったり閉じこもったりするヒマはない」（月刊『ウイル』、二〇〇八年十月号）

日下さんのように、元気の出る情報を発信してくれる人に注目して、そうした情報をつねに探すようにしてほしい。

二十代で「先のこと」を心配するな

小学校四年生で、老後のことが心配で胃潰瘍《かいよう》になった子がいたそうだ。

お笑いのネタのようだが、どうやら本当の話らしい。いくら何でも早すぎると思うが、では二十代ではどうか。二十代から老後の心配をするのは悪いとはいわないが、やはり早すぎると思う。

昔の私だったら、「バカモノ！」と一喝していただろうが、最近の若者のひ弱さ、やさしさ、おとなしさ、自信のなさを考えると、こちらまでシュンとしてしまいそうで、あまり強いことがいえない。

だが、よく考えてほしい。いまの定年はおおむね六十歳だが、これが六十五歳、七十歳へと延長されるのはほぼ間違いない。いま二十代の人たちが定年年齢に達するときは、定年七十五歳になっているかもしれない。

二十歳前後から働き出して、仮に七十歳まで働くとしたら、ざっと五十年間働くことになる。年金をもらえるのは、定年年齢にほぼリンクするから、これも五十年先のことだ。いまから五十年先の心配をしてどうするのか。

年金をきちんきちんと納めることはいいが、もらうことを考えるのは早すぎる。まして「積み立てたお金だから……」などと考えるのは、年金の趣旨が全然わかっていない。年金は積み立てたって、早く死んでしまえばもらえないものだ。

そのかわり長生きすれば、自分が積み立てた額より多くもらえる。つまり現行の年金制度は無尽《むじん》（頼母子講《たのもしこう》）に似た互助システムであり、本来的に「損得」で考えるべきものではない。それがいつからか、「自分が積み立てたものだから」というふうに考えるようになってしまった。これは年金の趣旨に反する考え方だ。

夢のない話をすれば、現行年金制度は、以前からもらっている人、いまもらっている人あたりが限界で、以後は給付水準がだんだん低くなっていく。いっては悪いが、いまの二十代がもらう頃には、貨幣価値からいって、かなり悲惨なことになっているだろう。

そう考えると、いまの二十代がすべきことは年金の心配ではなく、「冗談じゃないや！」といって不払いにすることのほうだろう。そういう人もたぶんいると思うが、そんな話はあまり伝わってこない。

日本には報道の自由はあるが、自主的に抑制している部分が相当ある。だから、よいことも悪いことも、一般人が報道を通じて描くイメージと、現実とはかなりかけ離れている。いまから老後の心配をする人は、掛け金を徴収するためにたぶらかされているようにも思える。いわば国家的規模の振り込めサギに引っかかっているようなものだ。

若者よ。年金の心配などするな。どうせもらえないのだから……もし、もらえても雀の涙がいいところ。その意味では「国なんか信用できない」と貯蓄に励むほうが賢い方法といえるかもしれない。

しかし、これとて、いつ金融機関が預金限度額に制限をつけて、それ以上の金を巻き上げるか知れたものではない。また、世界中にこれからデフォルト（債務不履行）が起きるだろうから、心配の種は尽きない――。

要するに、こんなふうに暗いことばかり考えていけば、いくら心配したって心配の種はなくならない。心配の種がなくならないとは、いつでも安心は得られないということだ。

経済の異常な発達がそういう世界をつくり出した。だから、もう心配するのはおやめなさい。それより、いまを楽しむことを考えたほうが、人生は楽しい。いまを楽しまないで、いったいいつ楽しむというのか。

空気を読むより「空気を読まない人」になれ

「さいきんの世の中は空気を読みあって縮んでいる。不況の半分は空気がつくっている」医師であり哲学者でもある鎌田實氏の言葉だ。

その通りだと思う。ＫＹは「空気が読めない」だが、ＡＫＹというのもあるそうだ。こちらは「あえて空気を読まない」だという。それなら私も鎌田さんと同じで、ＡＫＹのほうをとる。

だが、若者たちは相変わらず「空気を読む」ことに熱心なようだ。高校生と大学生に「なりたい人物像」を聞いたアンケート調査では、「社交的」が二八・七五％で最多、ついで「親しみやすい」二四・七％、「やさしい」一九・二％。

みんなが空気を読んで調和したがっている。私が不思議に思うのは、携帯電話がこれだけ発達して、人とのコミュニケーションがこれだけ頻繁に行なわれていながら、若者たちが「空気を読まなくちゃ」「人と調和しなくちゃ」という思いに駆られていく不思議だ。

逆になるのが本当ではないか。「もう人とのつきあいはこりごりだ。たまには一人になりたい」。こういう人たちが大勢現われて当然なのに、そうならないのは、なぜか。結局は携帯電話がコミュニケーションツールになり得ていないからだと思う。

では、携帯電話がもたらしたものは何か。もう二昔も前になるが、任天堂のゲーム機が売れたとき、子供たちはゲーム中毒になった。ゲームに熱中して、勉強どころではなくなった。それで、子供たちはそのゲーム機で何をやったのかといえば、ゲームをして遊ぶという、単なる暇つぶしだ。

いまの携帯電話はそのかわりをしていると思う。このことは電車に乗って携帯電話を操作している人を見ればわかる。私はメールのやり取りをしているとばかり思っていたが、ゲームをやったりネットを見たり、要するに暇つぶしをしているのだ。

携帯電話が暇つぶしに使われるということは、人々の多くは、仕事以外の時間を携帯電話を使って遊んでいるのである。またメールのやり取りも、面と向かって話すわけではないから、どうしても一方的なものになる。

人生の貴重な時間を、こんな暇つぶしに使っていていいのか。それでは人生を一生懸命に生きているとはとてもいえない。携帯電話は便利なものだが、余計な機能をもたせることで、本来のツールとは違う方向へ進んでしまったような気がする。

ある三十代の男性が、ガンを、それも末期であることを宣告された。容態が悪化していく中、彼は子供によい思い出を残してあげようとディズニーランド行きを計画する。本人はもちろん、周囲のことなど気にしないで、子供のための思い出づくりだけに賭けたのだ。空気なんか読んでいる暇は彼にはなかったのだ。

一生懸命に生きようとしている人は、みんな他人なんか気にしていない。空気なんか読んでいないのだ。若い人たちにいいたい。空気なんか読む必要はない。若いうちはそんなことにかまけていてはいけない。他人が何といおうと「自分はこの道を行く」という姿勢をもってもらいたい。

二十代から「二足のわらじ」を履いておこう

最近は不景気ということもあって、副業に励む人が増えてきた。この考えを一歩進めたのが「二足のわらじ論」である。

いまの仕事以外に食えるスキルを身につけ、実際に収入を得るようにすることである。そんなことが可能か、と思う人が多いと思う。たしかに、そう簡単なことではないと思うが、人間、やる気になれば道は開ける。とくに若いうちは、そのくらいのバイタリティーをもってほしい。

終身雇用時代の企業の多くは、社員の副業を原則禁止していた。定年まで雇ってもらうのと引き換えに、社員は会社に忠誠を誓っていた。いまだって副業を快く思わない風潮が会社側にはある。

しかし転職がめずらしくない現在、そんなことを気にする必要はない。会社の仕事に差し支えない範囲内で、別のわらじを履いてみればいい。

いずれは、独立して喫茶店をやろう、ラーメンが好きだからラーメン店をやってみたい――こんな希望をもっている人もいると思う。もし、そうだったら「いずれ」ではなく、いますぐ第一歩を踏み出してみる。これが二足のわらじということだ。

会社員としての仕事があるのに、どうすれば着手できるか。これは工夫次第だと思う。独立自営を目指すなら、最初に計画を立てなければならない。何歳で独立するのか、スキルをどうやって身につけるか、資金はどう調達するか。そこまで考えれば、いますぐやれること、やらねばならないことが見えてくるはずだ。

ある地方に二十六歳の銀行マンがいた。

銀行といっても信用金庫だ。高卒の彼は「支店長になる」が最高の夢だった。ところが、近くにできた居酒屋の日々の売り上げを集金しているうちに飲食商売に興味をもった。

同い年の居酒屋の店長が、自分の月給の三倍も稼いでいることを知ったからだ。彼は店に顧客として通ううちに店長と親しくなり、勤務時間後にパートとして働くようになった。それから三年後に、彼は信用金庫を辞めて居酒屋経営で独立した。

彼が二足のわらじだったのは三年間だが、三年かけてスキルをマスターしたのだ。このように、会社員以外の特別なスキルがない人ほど、二足のわらじは有効だと思う。なぜなら、実践を通じて稼ぎながらスキルを身につけられるからだ。

会社員の強みはアフター5を自由に使えることだ。この時間をどう使うかで、その後の人生は大きく変わる。趣味や遊びに打ち込むのもいいが、二十代はもっと生産的に使うべきである。

考えてもみてほしい。二十代は、平均寿命からいって、あと六十年は生きなければならない。最後の十年間を余生と見ても、あと五十年は働かなければならないのだ。いまの仕事をあと五十年続けられると思うか。

そんなことはとても無理だ。一つ目の仕事は、あと三十年で確実に終わる。といって、一つ目を完了したら、「さあ、どうぞ」と二つ目の仕事が待ち受けているわけではない。自分でまた第二の就活をしなければならない。

年をとってからの就活は、第一の就活の比ではない。ほとんどないも同然だ。だから、いまは二つくらいの仕事をもっていないと、人生をまともに生きられない。二足のわらじは、早い時期から、将来に備えて仕事を複線化しておくことなのである。

「これしかない」という立場は、打ち込めるようで、意外にそうではない。「これしかないのに、失ったらどうすればいい」という不安に支配されやすい。やることが自然に消極的になる。

「これがダメでもあっちがある」なら、気持ちに余裕がもてて積極的になれる。そのほうが第一の仕事のためにもなるのだ。

正しい道は一つではない

若い人は、とかく解答は一つと思いがちである。受験戦争を潜《くぐ》り抜けてきた者ほど、その思いが強いはずだ。だが、社会に出てからの仕事の解答は一つではない。そのことにどれだけ早く気がつくかで、生き方がずいぶん違ってくる。

郵政改革だって、高速道路の無料化だって、子ども手当だって、賛否両論あるが、どちらが正しいのかよくわからない。どちらも正しいように思える。ということは、正解は一つではないのだ。

また、いまは人間関係を深めない若者が増えているという。適当につきあっておく。そのほうが煩わされないでつきあえるという考え方だ。私たちの世代が考える人間関係とは少し違っているが、特別な違和感もない。これも、簡単に正解の出る世界ではない。

いまはどんな見方、考え方も全否定はできない。それぞれが、自分の正しいと思った通りにやればいい。

ただ、そのとき、自分が正しくて他人は間違っていると思わないことだ。雇用先を探している人たちの多くは正社員志向だ。だが、そういう人たちが、それを望まない人たちを否定してはいけない。

「オレは早くフリーターを辞めて正社員にならなければ」でもいいし、「給料が安くても、オレはフリーターのほうが気楽でいい」でもいいのだ。

そんな時代を反映してか、就活エリートでありながら、超一流企業の内定を蹴って、独立起業の道を選択した二十二歳の青年企業家が週刊誌で紹介されていた。

彼の学歴はすごい。灘中→灘高→東大。そして就活ではグーグルの内定を得たらしい。らしいというのは、本人が否定も肯定もしていないからだ。まあ、それはそれとして、彼は内定を蹴って、ＩＴ企業を起業した。

その会社は従業員四十五名、平均年齢が二十八歳。その彼が、こんな発言をしていたのが印象に残った。

「ＩＴの最先端であるシリコンバレーのトップさえ、次にくる大きな変化は何かというのが毎日の合言葉になっている」

この先にどんな変化が待ち受けているか誰にもわからなくなっている。いまはそういう時代なのだ。このような時代に、どんな心構えで生きればよいのか。迷う若者たちもいるだろう。

グーグルの内定を蹴って小さな会社を興す者がいるかと思えば、五十社もエントリーして内定ゼロでうつ病になる若者がいる。

正社員志向で、終身雇用・年功序列を望む若者もいる。そうかと思えば、給料は安くても束縛されないで自由に生きたいという若者もいる……。

一つだけはっきりしていることがある。それは自分の頭で考えなければならない時代になったということだ。いままでは社会がつくってくれたお膳立てに逆らわないでいれば、無難な人生を歩めた。それが安定した経済大国日本の姿だった。有名大学に入って、有名企業に就職できれば一生安泰だった。

だが、これからは、そういう誰にも見える安定した雛形は何もない。職業も自分で考え、自分で選択する時代だ。選択を誤れば、責任は自分で負わなければならない。自助努力、自己責任のきびしい時代である。

この大きな時代変化に、なるべく早く気づいてほしい。

「仕事ができる人はなぜ筋トレをするのか」

最近、毛色の変わったビジネス書として『仕事ができる人はなぜ筋トレをするのか』（山本ケイイチ著、幻冬舎）という本が予想外に売れた。

鍛えられた体の持ち主は、ビジネス面でもこれから絶対に得をする。若いうちに体を鍛えておくことは、二つ、三つスキルを習得するのに匹敵する。あるいは、それ以上かもしれない。

日本の企業は昔から、スポーツ選手を優遇してきた。有名大学のスポーツ部出身は、以前は優位に入社できたものだ。ただ、最近はスポーツ選手だからといって、大企業が自社のスポーツ振興のため意識的に入社させる以外、大きなメリットはない。

しかし、スポーツをやっていた人間に企業が目を向けるのは、集団行動に慣れていて、先輩、後輩のけじめがつけられる。行動力がある、理屈をいわないなど、何かとよい面があったからだが、とにかく二十代は、体が丈夫であることは必須条件だ。

体が丈夫だと、なぜいいのか。精神も強くなるからだ。精神が強くなれば向上心も出てくる。いまの日本に必要なのは、若者たちの向上心ではないか。ところが、これがいまの日本ではまるでダメなのである。

日本青少年研究所の日米韓比較調査によると、日本人で「偉くなりたい」と思う若者は他国の三分の一。反対に「のんびり暮らしたい」は他国の二倍もいる。ケータイ、パソコンのせいとの見方もあるが、それらの条件は日米韓とも同じだから、それは違う。要するに生命エネルギーが減退してしまっているのだ。

だが、世界を見回すと、エネルギーが横溢している国は多い。たとえば中国、インド、ブラジル、韓国、インドネシアなどなど。これらの国は二十一世紀に、とてつもない大国になるかもしれない。

「百年に一度などというチャチな話ではない。五百年、いや何世紀に一度という大変革期のような気がする。あらゆる分野でこれまでの常識が通用しない時代が始まった」

作家の五木寛之さんがいったことだが、これは当たっている。こういう時期に頼りになるのは身体能力である。

二十代の若いときに体力を鍛えておかないと、三十代、四十代でガタがくる。まずは行動力がなくなる。行動する前に理屈が先に立つ。「それは無理でしょう」「ウチみたいなところ相手にしてくれないでしょう」などと、行動する前に、すでに負けてしまったような逃げ方をする。

会社が一番嫌うのは、そんな弱音だ。「当たって砕けろ」は若さの特権。その結果、少々の失敗やミスは許される。何もしないで理屈ばかりこねる人間が一番嫌われるのだ。頭より体を鍛えよ、と若者たちにいいたい。暇を見つけてのスポーツクラブ通いもいいが、私は体力を鍛えるには水泳が一番いいのではないかと思う。

江戸時代の人間が元気だったのは、交通機関がろくになかったので、すべて陸路や海路で移動したからだ。若者も例外ではなく、みんな日本国中を歩き回った。吉田松陰も、坂本龍馬にしてもそうだ。龍馬はいまの高知から東京や大阪、京都、さらに長崎と何度も行き来している。驚くべき行動力である。

心と体は深く関わっているのだ。

「青年はけっして安全な株を買ってはいけない」

「三十歳までに一千万円貯める」

二十代で、こんなことをいう若者が増えているらしい。何か目的があって貯めるならいいが、ただの貯金だったら、これはちょっと問題だ。若者らしさに欠けている。

フランスの詩人ジャン・コクトーは「青年はけっして安全な株を買ってはならない」という有名な言葉を残しているが、まさにこの言葉と真逆の考え方であり、行動である。

だが、こんな考えの若者を出現させた責任は大人たちにある。いまの日本は、若者たちに夢を抱かせにくい社会なのだろう。

いったい、どうすれば若者たちに、夢や希望をもってもらえるのだろうか。

ここで私がいいたいのは、もっと想像力を働かせてほしい、ということだ。

想像力などというと、「頭の中で勝手に思い描くこと」と、あまり重要視していないかもしれない。しかし、想像力は経験と知識・情報をもとに、その人のいっさいの記憶を通してつくられるものだ。想像によって言語化、映像化という作業を行ない、私たちはさまざまな意思決定や行動をしている。

決して、頭に思い描く勝手なイメージではない。想像力こそが人生を豊かにし、大いなる恵みを与えてくれる原動力なのである。よりよく生きたいと思うなら、想像力をもっと使うべきなのだ。

この点で、私が「偉い人だ」と感心するのは、あの福沢諭吉である。彼は「空想」という言葉を使って、こういっているのだ。

「空想は実行の原素なり」

学者が深夜一人、孤灯の下に座し、思いをめぐらしている。そのうちにいろいろな空想がわいてくる。その空想は人に話せない珍奇なものであるかもしれない。だが、そうした空想は無益ではない。むしろ空想せよ。空想は実行の原素にして、人間社会の進歩はすべて空想より生じたるものなり……。

さらに「近くその一例を示さん」とこう続けている。

「維新の初に廃藩の大挙あり。その実行は実に明治の初年なれども、門閥専横厭うべし、空しく三百諸侯を養うは愚なりとの思想は、大名全盛の時代よりすでに学者、有志者の脳裏に往来して、（中略）深くこれを心に思う者あれば、（中略）これぞ即ち廃藩の実行を容易ならしめたる素因なれ」（『福翁百話』金園社）

では、どうすればよい想像ができるか。一番よいのは、毎晩寝る前に床の中で好ましいイメージを思い浮かべることだといわれている。一日中で一番リラックスできるのは、就寝前のひとときだからだ。

昼間どんなに忙しかった人も、眠る直前の頭の中はリラックス波が出ている。そのような状態で自分の願望をイメージすると、ストレスが癒されて、前向きになれる。逆に抱えている悩みを思い浮かべたり、憎しみや嫉妬の感情を働かせたりすると、心が休まらず、夢見も悪い。就寝前の「想像力」を一工夫してみていただきたい。

それから、悪い想像はふだんからなるべくしないこと。なぜかというと、想像することは結果的に「望んでいること」になるからだ。悪い想像を繰り返すことは、その通りになる確率を高めてしまうという。

どんなときも、よい想像も悪い想像もできる。会社を受けたとき、受かる自分を想像できるのと同じように、落ちる自分も想像できる。どちらに傾くかは一つのクセのようなもの。だから、できるだけよい想像をしたほうがいい。

維新の青年たちは、おのおのが未来の好ましい日本の姿を想像したはず。だから明治維新が成った。現代の若者にも、自分の理想の国の姿を思い浮かべてもらいたい。想像をたくましくすることこそ「若者の特権である」と思う。

最高に生きがいのある生き方

世界一の長寿国日本で生きる二十代は、絶対的に若い。人生八十年時代に、まだ先行き六十年もある。

可能性は無限で、これから何でもできる。若いということは、それだけで何物にも代えがたい特権をもっているようなものだ。

あなたは、その特権をどれだけ生かしているだろうか。

もし生かせていないとしたら、そんなもったいないことはない。光陰矢のごとし、何かを始めるには、いましかないではないか。

アメリカ建国の父として名高いベンジャミン・フランクリンは「二十歳にして重きをなすのは意志」といっている。

どんなことでもいい。何か目標を決めて、その実現のために、これからひたむきの努力をしてみてはどうだろうか。

青年というのは、いつの時代でも、どう生きたらいいのか迷うものらしい。いまから二千五百年以上も前、ギリシャの青年も自分のやりたいことがわからず、師である哲学者タレスにこう尋ねた。

「師よ、最高に生きがいのある生き方とはどんなものですか」

タレスは即座にこう答えた。

「目標の実現へ向かって努力しているときだ」

この言葉は記憶しておくべきだ。

誰もが生きがいのある生き方をしたいと思っている。だが、いまは生きがいが見つからない、という人が少なくない。

その理由は、はっきりしている。恵まれすぎているのだ。

こういうと、たぶん「？？？」と思う人が大勢いるだろう。

「史上最低の就職内定率だというのに？」

「五十社もエントリーして、一社も内定がもらえなかったのに？」

「非正規でしか働いたことがないのに？」

そうかもしれない。だが、こういう疑問を本気で感じているとしたら、少し視野が狭すぎると思う。

いまは経済にかぎらず、すべてがグローバル化されている時代だ。だったら、国内ばかり見ていないで、広く世界に目を向けてもらいたい。

「一人の若者が、二十歳を過ぎるまで、生活の大方を学業優先で生かしてもらえるという恵まれた人生は、世界にそれほど多くはないのだ。その背後には、子供の時から親の暮らしを支えるために労働し、文字を覚える暇さえなかったたくさんの人生がひしめいている」（二〇一〇年五月二十八日付『産経新聞』、曽野綾子氏のコラムより）

日本は恵まれているのだ。この現実をどうとらえるか。

断言してもいい。就職内定率が一〇〇%になり、全員が正社員になれても、世の中の不満は絶対になくならないものだ。

なぜなら、不満や不安は中身ではなく、パーセンテージの問題だからだ。一つの不満がなくなれば、別の不満を抱くようになる。

つまり、不満も不安も絶対量は一定している。これは永遠に変わることのない真理のようなもの。

だから、不満や不安を優先させるのはもうやめなさい。

それよりも、何でもいいから可能性を信じて、自分が好ましいと思う目標をもち、目標実現に向けて第一歩を踏み出そう。その瞬間から、あなたの人生は生きがいに満ちたものになるはずだ。

「20代《だい》」でやっておきたいこと

著　者――川北義則（かわきた・よしのり）

発行者――押鐘太陽

発行所――株式会社三笠書房

〒102-0072　東京都千代田区飯田橋3-3-1

https://www.mikasashobo.co.jp

印　刷――誠宏印刷

製　本――若林製本工場

ISBN978-4-8379-2379-4 C0030

Ⓒ Yoshinori Kawakita, Printed in Japan

本書へのご意見やご感想、お問い合わせは、QRコード、
または下記URLより弊社公式ウェブサイトまでお寄せください。
https://www.mikasashobo.co.jp/c/inquiry/index.html

＊本書のコピー、スキャン、デジタル化等の無断複製は著作権法上での例外を除き禁じられています。本書を代行業者等の第三者に依頼してスキャンやデジタル化することは、たとえ個人や家庭内での利用であっても著作権法上認められておりません。
＊落丁・乱丁本は当社営業部宛にお送りください。お取替えいたします。
＊定価・発行日はカバーに表示してあります。

三笠書房

自助論

S・スマイルズ【著】
竹内 均【訳】

今日一日の確かな成長のための最高峰の「自己実現のセオリー」！

「天は自ら助くる者を助く」――この自助独立の精神にのっとった本書は、刊行以来今日に至るまで、世界数十カ国の人々の向上意欲をかきたて、希望の光明を与え続けてきた。福沢諭吉の『学問のすゝめ』とともに、日本人の向上心を燃え上がらせてきた古典的名作。

心配事の9割は起こらない

減らす、手放す、忘れる「禅の教え」

枡野俊明

心配事の〝先取り〟をせず、「いま」「ここ」だけに集中する

余計な悩みを抱えないように、他人の価値観に振り回されないように、無駄なものをそぎ落として、限りなくシンプルに生きる――それが、私がこの本で言いたいことです（著者）。禅僧にして、大学教授、庭園デザイナーとしても活躍する著者がやさしく語りかける「人生のコツ」。

「考える力」をつける本

本・ニュースの読み方から情報整理、発想の技術まで

轡田隆史

この一冊で、面白いほど「ものの見方」が冴えてくる！

本・ニュースの読み方から情報整理、発想の技術まで、「考える力」を身につけ、より深めるための方法を徹底網羅。――「『アタマというのは、こう使うものだ』ということを教えてくれる最高の知的実用書！」〈ベストセラー『超訳ニーチェの言葉』編訳者・白取春彦氏推薦！〉

T30220